50
PICCOLE STORIE PER DIVENTARE GRANDI

QUESTO LIBRO APPARTIENE A:

....

La Carica dei 101: basato sul libro *The Hundred and One Dalmatians*
di Dodie Smith, pubblicato negli Stati Uniti da Viking Press
e in Gran Bretagna da William Heinemann Limited.
Le Avventure di Winnie The Pooh: personaggi e avventure basati
sulle opere di *Winnie The Pooh* di A. A. Milne e E. H. Shepard.
Cars: gli elementi Disney/Pixar sono di proprietà di © Disney Pixar,
ad esclusione dei seguenti marchi di proprietà di terze parti:
Hudson Hornet™; FIAT™; ©Volkswagen AG; Chevrolet™; Porsche™;
Jeep®; Mercury™.

Progetto e coordinamento grafico: Emanuela Fecchio
Realizzazione grafica: co-d - Milano

Traduzione e adattamento: Anna Caterina Forastieri
Coordinamento editoriale: Antonella Sgarzi

Pubblicato da Giunti Editore S.p.A.
Via Bolognese, 165 – 50139 Firenze - Italia
Via G. B. Pirelli, 30 - 20124 Milano - Italia

Prima edizione: dicembre 2019

Stampato da: Lito Terrazzi s.r.l.

www.giunti.it

Disponibile anche in versione eBook

FSC
www.fsc.org
MISTO
Carta
da fonti gestite in
maniera responsabile
FSC® C016466

Disney PRINCESS

Rapunzel

Un nuovo amico

DA MOLTO TEMPO, ORMAI, LA PICCOLA RAPUNZEL VIVE NEL FOLTO DI UN BOSCO, IN CIMA A UNA VECCHIA TORRE ABBANDONATA. OGNI GIORNO SI AFFACCIA ALLA FINESTRA E PENSA CHE LA SUA VITA SIA TUTTA LÌ. NON SA DI ESSERE UNA PRINCIPESSA E NEMMENO IMMAGINA DI ESSERE STATA SOTTRATTA AI SUOI GENITORI DALLA SEVERA MADRE GOTHEL CHE… FINGE DI ESSERE LA SUA VERA MAMMA.

LA PICCINA NON HA MAI NESSUNO CON CUI PARLARE, LE FARFALLE O GLI UCCELLINI CHE SI AVVICINANO AL DAVANZALE NON SONO POI COSÌ DISPONIBILI A FARE AMICIZIA!

MADRE GOTHEL LE HA LASCIATO GIOCATTOLI E PASSATEMPI D'OGNI
GENERE E RAPUNZEL… CI PROVA DAVVERO A TRASCORRERE
LE SUE GIORNATE IN MODO UN PO' DIVERTENTE.
TALVOLTA SI DÀ ALLA PITTURA, MA PER OTTENERE DEI RISULTATI
DEGNI DI UNA VERA ARTISTA, CI VUOLE TANTA PRATICA!
PREPARARE QUALCHE TORTA PUÒ NON
ESSERE UNA CATTIVA IDEA MA…
SE POI CI SI DIMENTICA DI SPEGNERE
LA STUFA AL MOMENTO GIUSTO?
IL GIARDINAGGIO DOMESTICO NON
È MALE, MA I SEMI, PER GERMOGLIARE,
CI IMPIEGANO GIORNI E GIORNI!

TUTTAVIA, ULTIMAMENTE, LE È CAPITATO DI NOTARE QUALCOSA
DI STRANO. SUL TERRICCIO DELLE SUE PIANTINE, TRA LE CIOTOLE
DEI COLORI E PERSINO SULLA FARINA SPARSA SUL TAVOLO DELLA
CUCINA, SPESSO TROVA DELLE PICCOLE IMPRONTE.
"CHE MISTERO…" OSSERVA A VOCE ALTA. "SEMBRA CHE QUALCUNO
SI DIVERTA A FARMI DEI DISPETTUCCI!"
DECISA A RISOLVERE LA QUESTIONE, O A SMASCHERARE
UN EVENTUALE INTRUSO, RAPUNZEL ESPLORA ATTENTAMENTE
OGNI ANGOLO DELLA SUA AMPIA SOFFITTA. MA… NIENTE!

QUASI RASSEGNATA, E CON PIÙ LENA, RAPUNZEL TORNA A
DEDICARSI AL GIARDINAGGIO, ALLA PITTURA E… ALLA PASTICCERIA.
E PIAN PIANO DIVENTA SEMPRE PIÙ BRAVA! UN BEL POMERIGGIO,
NEL SUO VASO DI FRAGOLE BEN MATURE, VEDE… UN CAMALEONTE!
IL POVERINO, APPENA SI ACCORGE DI LEI, PASSA DA UN COLORE
ALL'ALTRO: GIALLO, ROSSO, VERDE! "AH, SEI TU L'OSPITE MISTERIOSO!
COME SEI CARINO… TI CHIAMERÒ PASCAL!" ESCLAMA RAPUNZEL,
TUTTA CONTENTA. "VUOI ASSAGGIARE UN PEZZETTO DI TORTA?"
ED ECCO COME È INIZIATA QUESTA LUNGA E PERFETTA AMICIZIA:
NEL MODO PIÙ DOLCE!

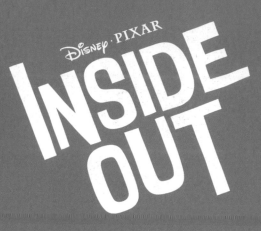

La storia del film

QUANDO LA PICCOLA RILEY VIENE AL MONDO, NELLA SUA MENTE, IL QUARTIER GENERALE DELLE EMOZIONI, PRENDE POSTO GIOIA. QUESTA, UNA DOPO L'ALTRA, RADUNA DELLE SFERE DORATE CHE CONTENGONO LA MEMORIA DEI MOMENTI PIÙ ALLEGRI DELLA VITA DELLA BAMBINA. BEN PRESTO, A GIOIA SI AGGIUNGONO TRISTEZZA, DISGUSTO, RABBIA E PAURA. RILEY, CRESCENDO, COLTIVA IN SÉ ANCHE LE ISOLE DELLA PERSONALITÀ: L'ONESTÀ, L'AMICIZIA E... L'HOCKEY, LA SUA GRANDE PASSIONE. LA VITA DI RILEY SCORRE FELICE SINO A CHE, A UNDICI ANNI, CON LA FAMIGLIA SI TRASFERISCE IN UN'ALTRA CITTÀ.

LASCIARE CASA, AMICI E ABITUDINI È DAVVERO DIFFICILE!
E COSÌ, TRISTEZZA PRENDE IL SOPRAVVENTO…
GIOIA TENTA DI DONARE ALLA MENTE DI RILEY PENSIERI SERENI,
MA TRISTEZZA S'INTROMETTE SEMPRE!
UN GIORNO, TRA LE DUE AVVIENE UNO SCONTRO INVOLONTARIO
ED ENTRAMBE VENGONO CATAPULTATE FUORI DAL QUARTIER
GENERALE. "CHE GUAIO!" SI LAMENTA TRISTEZZA.
"DOBBIAMO LOTTARE INSIEME PER RIMETTERE ORDINE TRA
I RICORDI DI RILEY E DARLE CORAGGIO PER ACCETTARE
LA NUOVA SITUAZIONE!" SPIEGA GIOIA.

INTANTO, PAURA, DISGUSTO E RABBIA, LE TRE EMOZIONI
RIMASTE AL COMANDO DEL QUARTIER GENERALE, TENTANO
DI CAVARSELA DA SOLE, MA FANNO SOLO PASTICCI!
RILEY DIVENTA INTRATTABILE E RUBA PERSINO LA CARTA DI
CREDITO DI SUA MADRE PER TORNARE NELLA SUA VECCHIA CITTÀ.
LE ISOLE DELL'AMICIZIA E DELL'ONESTÀ CROLLANO! MA GIOIA
E TRISTEZZA NON SI DANNO PER VINTE E, PERSE TRA I RICORDI
DI RILEY, S'IMBATTONO IN UN ELEFANTINO ROSA CON LA CODA
DA GATTO: È BING BONG, L'AMICO IMMAGINARIO DI RILEY!

GRAZIE A BING BONG, GIOIA E TRISTEZZA
RITROVANO LA VIA PER IL QUARTIER
GENERALE. E QUANDO TUTTE LE
EMOZIONI TORNANO AI LORO
POSTI, RILEY SI PENTE DI ESSERSI
COMPORTATA MALE E FA PACE
CON I GENITORI. LA RAGAZZINA
SI RENDE CONTO CHE LA VITA È FATTA SIA
DI MOMENTI FELICI CHE DI MOMENTI NO. CHE VALORE AVREBBE
LA GIOIA SENZA LA TRISTEZZA? CON QUESTA CONVINZIONE, RILEY,
FINALMENTE, PUÒ CONTINUARE A CRESCERE SERENA.

DISNEY
ZOOTROPOLIS

La storia del film

JUDY HOPPS È LA PRIMA CONIGLIO-POLIZIOTTA DI ZOOTROPOLIS, UNA CITTÀ DOVE PREDE E PREDATORI VIVONO INSIEME IN ARMONIA. APPENA ARRIVATA AL DISTRETTO, JUDY VORREBBE PARTECIPARE ALLE INDAGINI SULLA SCOMPARSA DI QUATTORDICI ANIMALI, MA… PER VIA DELLE SUE PICCOLE DIMENSIONI, È SPEDITA A FARE LA VIGILESSA! PATTUGLIANDO LE STRADE, JUDY NOTA UN CERTO NICK. IL TIZIO HA COMPRATO UN SUPER GHIACCIOLO CHE POI… USERÀ PER RICAVARNE MOLTI ALTRI, PIÙ PICCOLI, DA RIVENDERE AD ANIMALI DI TAGLIA MINUSCOLA. QUESTA SI CHIAMA TRUFFA!

PRESTO IL DESTINO OFFRE A JUDY UN'OCCASIONE: LA SIGNORA
OTTERTON, UNA LONTRA, LE CHIEDE DI RITROVARE SUO MARITO.
È UNO DEI QUATTORDICI ANIMALI DI CUI NON SI HA PIÙ NOTIZIA!
IL SUO CAPO LE DÀ 48 ORE DI TEMPO PER RISOLVERE IL CASO.
CON UNA FOTO DELLO SCOMPARSO, JUDY CORRE DA NICK:
"HA IN MANO UNO DEI TUOI MINI GHIACCIOLI!" DICE.
INSIEME, I DUE SCOPRONO CHE IL SIGNOR OTTERTON, PRIMA DI
SPARIRE, È SALITO SU UN'AUTO DI LUSSO GUIDATA DA UNA PANTERA.
"QUEL TIPO ERA UN PAZZO!" MORMORA L'AUTISTA, TIMOROSO.
"SI LAMENTAVA DI CERTI ULULATORI NOTTURNI..."

JUDY RIESCE A SCOPRIRE CHE OTTERTON, CON GLI ALTRI TREDICI
PREDATORI SCOMPARSI, È RICHIUSO IN UNA GABBIA.
IL RAPITORE È IL SINDACO LIONHEART: VUOLE CHE QUEI
PRIGIONIERI DIVENTINO BESTIE FEROCI PRONTE A DIFENDERLO.
"OGNI PREDATORE NASCONDE UN LATO AGGRESSIVO…"
DICE INVOLONTARIAMENTE JUDY DURANTE UNA CONFERENZA
STAMPA. NICK, LA VOLPE, A QUELLE PAROLE, SI OFFENDE.
JUDY È CONFUSA… A ZOOTROPOLIS L'ARMONIA TRA ANIMALI
STA PER FINIRE? COSÌ DECIDE DI RITIRARSI IN CAMPAGNA,
DAI SUOI GENITORI.

UN GIORNO, PASSEGGIANDO TRA I CAMPI, JUDY SCOPRE CHE
CERTI FIORI VELENOSI SONO CHIAMATI PROPRIO ULULATORI
NOTTURNI.

LA CONIGLIETTA SI PRECIPITA IN CITTÀ, FA PACE CON NICK E CON LUI INDIVIDUA UN LABORATORIO SEGRETO OVE, CON QUEI FIORI, SI FABBRICANO DEI PROIETTILI. QUESTI, SCAGLIATI CONTRO I PREDATORI, LI RENDONO AGGRESSIVI!

"IN CITTÀ FARÒ REGNARE LA PAURA! I PREDATORI RENDERANNO SCHIAVE LE PREDE!" STA DICENDO LA PECORELLA BELLWEATHER, DIVENTATA SINDACO AL POSTO DI LIONHEART.

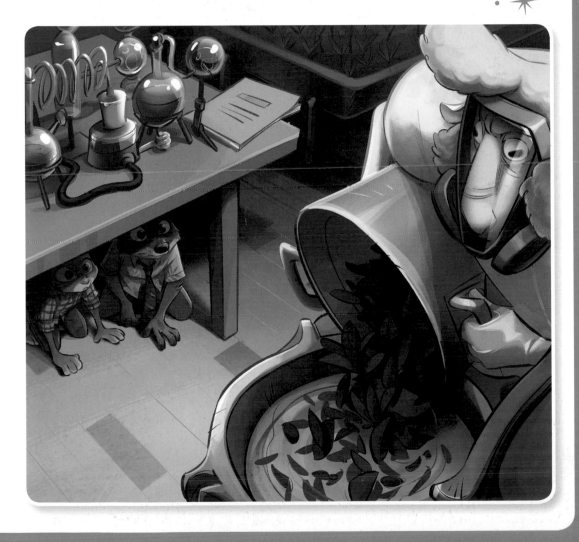

MA JUDY HA REGISTRATO TUTTO E LA PECORELLA MALFATTRICE
È SUBITO ARRESTATA! I POVERI ANIMALI DIVENTATI AGGRESSIVI
VENGONO CURATI E, BEN PRESTO, A ZOOTROPOLIS, TORNANO
FINALMENTE LA PACE E LA SERENITÀ.

NICK ORA INDOSSA L'UNIFORME ED È UNO STRAORDINARIO
POLIZIOTTO, SOCIO D'INDAGINI DI JUDY.

ECCOLI QUI, DUE GARANTI DELL'ORDINE, PREDATORE E PREDA,
INSIEME, AMICI PER SEMPRE.

Trilli

L'arrivo di Trilli

NEL REGNO DI PETER PAN, SULL'ISOLA CHE NON C'È, DIETRO UNA DOLCE CASCATA, C'È UN INGRESSO SEGRETO CHE CONDUCE IN UN MONDO MERAVIGLIOSO: LA RADURA INCANTATA. È QUI CHE VIVONO LE FATE. OGNUNA È NATA DALLA PRIMA RISATA DI UN BAMBINO E, UNA NOTTE, LA REGINA CLARION, COLEI CHE HA IL PRIVILEGIO DI GOVERNARE IN QUESTO LUOGO, ACCOGLIE UNA NUOVA VENUTA: TRILLI!

LA PICCOLA INDOSSA UN ABITO DI UN FIORE CHIAMATO DENTE DI LEONE, QUELLO CHE TUTTI CHIAMANO SOFFIONE. TRA LE MANI HA UN MARTELLO. "HAI UN TALENTO DA TUTTOFARE!" DICHIARA CLARION.

L'ARRIVO DI TRILLI COINCIDE CON UN PERIODO SPECIALE DELL'ANNO:
LA PRIMAVERA! LE FATE LAVORANO PER RENDERLA MAGICA.
DOPO ESSERSI AMBIENTATA, TRILLI FA UN VOLO DI RICOGNIZIONE
E COSÌ… INCONTRA VIDIA, LA FATA COL TALENTO DELLA VELOCITÀ.
"IL MIO TALENTO È MIGLIORE DEL TUO!" LE DICE QUELLA FUGGENDO
VIA. "E IN PIÙ, IO POSSO AVVICINARMI AL MONDOFERMO, QUELLO
DEGLI UMANI, E TU NO!"
TRILLI CI RESTA MALE, MA IL CAPO DEGLI AGGIUSTATUTTO LA
RIMPROVERA: "DEVI ESSERE ORGOGLIOSA DELLE TUE CAPACITÀ!"

PER SBOLLIRE IL BRONCIO, TRILLI FA UN GIRETTO
SULLA SPIAGGIA, DOVE FINISCONO GLI OGGETTI PERDUTI
DAGLI UOMINI. LÌ TROVA UN CARILLON UN PO' MALCONCIO.
LEI SE NE PRENDE CURA E LO RIPARA, RIMETTENDOLO
COMPLETAMENTE A NUOVO.
"COME SEI BRAVA!" SI COMPLIMENTANO TUTTE LE FATE.

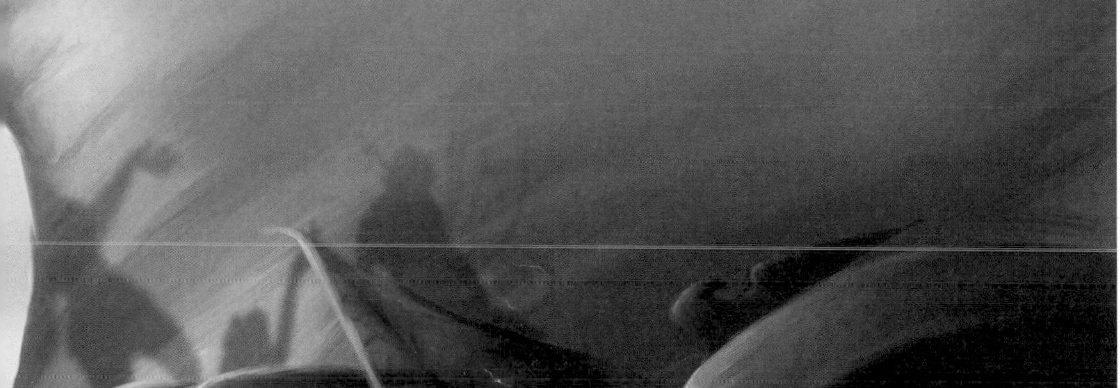

MA A VIDIA, QUELLA NUOVA ARRIVATA NON PIACE AFFATTO!
COSÌ, PER DISPETTO, INVITA TRILLI A LIBERARE CERTI VIVACISSIMI
CARDI, FACENDOLE CREDERE CHE AVREBBERO DATO UN AIUTO
CON I PREPARATIVI PER LA PRIMAVERA. IN REALTÀ... I CARDI
DISTRUGGONO QUASI TUTTO IL LAVORO DELLE FATE!
CHE GUAIO PER LA POVERA TRILLI! IL SUO INGEGNO NON TARDA
A RIVELARSI E, IN MEN CHE NON SI DICA, INVENTA UNA SERIE
DI MACCHINARI CHE TINGONO PETALI DI FIORI, GEMME D'ALBERO,
COCCINELLE E MOLTO ALTRO.

REGINA CLARION SI CONGRATULA. "SEI LA MIGLIOR FATA
RIPARATRICE DI TUTTI I TEMPI!" DICE A TRILLI CON UN SORRISO.
"E TI DIRÒ DI PIÙ," AGGIUNGE. "TI LASCERÒ ANDARE
NEL MONDO FERMO. COSÌ POTRAI RIPORTARE A UNA CERTA BIMBA
QUEL SUO CARILLON CHE HAI AGGIUSTATO IN MODO ESEMPLARE."

TRILLI È AL COLMO DELLA GIOIA: HA SALVATO LA PRIMAVERA E PUÒ
RECARSI NEL MONDO DEGLI UMANI! BASTA UNA LEGGERA DOCCIA
DI POLVERE MAGICA E SUBITO SI RITROVA DAVANTI ALLA FINESTRA
DI WENDY. LÌ, SUL DAVANZALE, POGGIA DELICATAMENTE IL CARILLON
E POI SI NASCONDE.
APPENA LA BAMBINA SI ACCORGE DEL CARO OGGETTO RITROVATO
E RIMESSO A NUOVO, ESPLODE DI FELICITÀ.
QUANDO TORNA ALLA RADURA INCANTATA, NEL SUO LABORATORIO,
TRILLI HA TANTA VOGLIA DI METTERSI ALL'OPERA! ORA È DAVVERO
ORGOGLIOSA DEL SUO TALENTO!

DISNEY

Aladdin

La storia del film

Nel cuore del magico deserto d'Oriente, c'è una città sempre baciata dal sole. Il suo nome è Agrabah. Laggiù, in un castello meraviglioso, vive la principessa Jasmine, insieme al suo amato padre, il Sultano. Con loro abita anche Jafar, gran visir e consigliere di corte. Quest'uomo non è leale e onesto...

Da poco, infatti, ha scoperto l'esistenza della Caverna delle Meraviglie: vorrebbe impossessarsi dei tesori che contiene! E in più, diventare lui stesso Sultano.

OGNI GIORNO, JASMINE DISCUTE CON SUO PADRE: "HO DETTO DI NO! NON VOGLIO SPOSARMI!", PIAGNUCOLA. PURTROPPO, IL SULTANO INSISTE E ORGANIZZA PER SUA FIGLIA UN MATRIMONIO CON UNO SCONOSCIUTO! JASMINE, ALLORA, DECIDE DI FUGGIRE. TRAVESTITA DA DONNA DEL POPOLO, LA PRINCIPESSA SI CONFONDE TRA LA FOLLA. MA UNA GUARDIA LA SCAMBIA PER UNA LADRA! PER FORTUNA, UN LADRUNCOLO DI NOME ALADDIN INTERVIENE IN SUA DIFESA. JASMINE PASSA CON LUI UNA GIORNATA DIVERTENTE, MA IL COMPORTAMENTO BIZZARRO DI ALADDIN NON SFUGGE ALLE GUARDIE DI PALAZZO, CHE LO ARRESTANO.

IN PRIGIONE, ALADDIN BEN PRESTO VIENE RAGGIUNTO DA JAFAR,
TRAVESTITO DA VECCHIO GALEOTTO.
IL VISIR È INTERESSATO AL RAGAZZO PERCHÉ... HA INDIVIDUATO
IN LUI QUALCUNO DAL CUORE PURO. PER UN ANTICO SORTILEGIO,
INFATTI, LA SOLA PERSONA CHE PUÒ ACCEDERE ALLA CAVERNA DEVE
AVERE UN ANIMO GENTILE, DEVE ESSERE... UN DIAMANTE GREZZO!
IL RAGAZZO, DISPOSTO SEMPRE A OGNI PERIPEZIA, CEDE ALLE
LUSINGHE DEL VECCHIO E SI RECA ALLA CAVERNA.
LAGGIÙ FA AMICIZIA CON UN TAPPETO VOLANTE E... SCOPRE
UNA LAMPADA ABITATA DA UN MAGICO GENIO!

IL GENIO, GRATO PER ESSERE STATO LIBERATO DALLA LAMPADA
DOPO SECOLI, ESAUDIRÀ TRE DESIDERI DI ALADDIN.
IL PRIMO: DIVENTARE UN PRINCIPE! CON QUEST'UNICO DESIDERIO,
IL FURBETTO ALADDIN RIESCE A FUGGIRE DALLA CAVERNA E A
DIVENTARE RICCO! COSÌ RIENTRA A PALAZZO CON TUTTI GLI ONORI.
LUI E JASMINE PASSANO UNA ROMANTICA SERATA TRA LE STELLE
CON IL TAPPETO VOLANTE.

AL LORO
RIENTRO, JAFAR
FA ARRESTARE
ALADDIN.
LUI, PERÒ,
ESPRIMENDO
IL SECONDO
DESIDERIO,
SMASCHERA
LE TRAME
DELL'AVIDO
VISIR E LO FA
IMPRIGIONARE!

IL RAGAZZO, CHE ORMAI
HA CAPITO DI NON POTER
FINGERE DI ESSERE
QUALCUNO CHE NON È,
USA IL SUO ULTIMO DESIDERIO
PER LIBERARE IL GENIO
DALLA SCHIAVITÙ DI VIVERE
PER SEMPRE DENTRO
UNA LAMPADA.
"ANDRÒ A FARE UN GIRO INTORNO
AL MONDO!" ESCLAMA QUELLO, FELICE.
E IL SULTANO, COMMOSSO DAL VALORE
DI ALADDIN, GLI DÀ IL PERMESSO
DI SPOSARE JASMINE.

La storia del film

HIRO HA QUATTORDICI ANNI, VIVE NELLA SUPER TECNOLOGICA SAN FRANSOKYO ED È UN GENIO! INFATTI, HA CREATO DEI MINUSCOLI ROBOT IN GRADO DI AGGREGARSI E ASSUMERE QUALSIASI FORMA: PONTI, SCALINATE E... MOLTE ALTRE STRUTTURE. UN GIORNO, PERÒ, UN MISTERIOSO UOMO MASCHERATO GLI RUBA QUESTE MICRO-CREATURE. VUOLE SPARGERE IL TERRORE IN CITTÀ! HIRO DÀ AL LADRO UN SOPRANNOME CHE GLI STA A PENNELLO: 'YOKAI' CHE, IN GIAPPONESE, SIGNIFICA, PIÙ O MENO, 'CATTIVONE'.

PER PARTIRE ALLA RICERCA DELL'UOMO MASCHERATO E AFFRONTARLO,
HIRO DECIDE DI RIPROGRAMMARE IL SUO AMICO BAYMAX.
COSÌ, QUEST'ULTIMO, DA ASSISTENTE MEDICO-SANITARIO, SI
TRASFORMA IN UN ROBOT COMBATTENTE. PER RENDERLO ANCORA
PIÙ FORTE, HIRO COSTRUISCE PER LUI UNA SOLIDA ARMATURA
E NELLA SUA MEMORIA INNESTA INVINCIBILI MOSSE DI KUNG-FU.
BAYMAX E HIRO, DOPO UN'AFFANNOSA RICERCA, TROVANO YOKAI
NELLA ZONA DEL PORTO, MA IL NEMICO È UN OSSO MOLTO DURO…

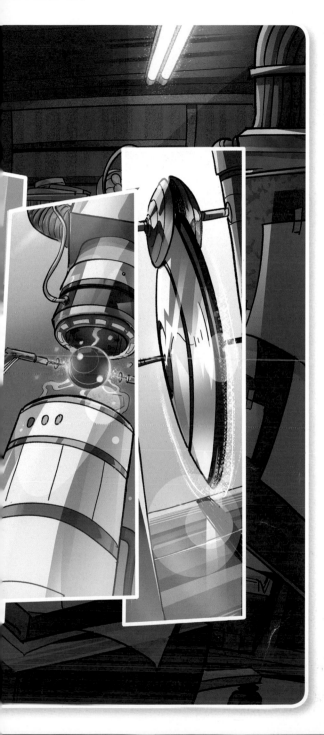

PER FORTUNA BAYMAX
AVVERTE GLI AMICI DI HIRO
CHE, APPENA IN TEMPO,
ARRIVANO A BORDO DI
UN'AUTO PER AIUTARLI
A FUGGIRE.
HIRO CAPISCE CHE NON
SCONFIGGERÀ MAI YOKAI
DA SOLO.
COSÌ PRODUCE PER I SUOI
AMICI DELLE ATTREZZATURE
DA SUPEREROI!
PER FRED CREA UN COSTUME
SPUTA-FIAMME, PER WASABI
DEI GUANTI CON LAME
LASER, A GO GO DÀ DEI
DISCHI MAGNETICI CHE
ROTEANO A TUTTA VELOCITÀ,
E NELLA BORSA DI LEMON
ASSEMBLA UN LABORATORIO
DI CHIMICA.

HIRO AGGIUNGE ALL'ARMATURA
DI BAYMAX DELLE ALI, DEI PUGNI-BENGALA
E DEI PROPULSORI NEGLI STIVALI.
"E TU COME INTENDI DIFENDERTI?"
CHIEDONO GLI AMICI A HIRO.
LUI MOSTRA UN'ARMATURA CON
ELETTROMAGNETI CHE GLI PERMETTONO DI RIMANERE
AGGANCIATO A BAYMAX QUANDO PARTE… A RAZZO.
ORA, LA SUPER BANDA PUÒ AFFRONTARE YOKAI. E APPENA LUI
APPARE SUL TETTO DI UN EDIFICIO… TUTTI VANNO ALL'ATTACCO!

ALLA FINE DI UN LUNGO COMBATTIMENTO,
BAYMAX RIESCE A NEUTRALIZZARE
IL TRASMETTITORE MENTALE CHE DIRIGE
I MICRO-ROBOT. QUESTI, PRIVATI DI CONTROLLO,
CROLLANO SENZA FORZE E... FINALMENTE
YOKAI VIENE ARRESTATO.

GRAZIE A HIRO E AI SUOI VALOROSI AMICI, SAN FRANSOKYO
È IN SALVO! E SE MAI UN GIORNO LA CITTÀ FOSSE DI NUOVO
IN PERICOLO, TUTTI LORO SARANNO PRONTI A INTERVENIRE
PRONTAMENTE! DOPPIO URRÀ PER QUESTI NUOVI EROI!

DISNEY
OCEANIA

La storia del film

UN BEL GIORNO, SULL'ISOLA DI MOTUNUI, NONNA TALA NARRA
AI BIMBI DEL VILLAGGIO LA LEGGENDA DELLA DEA TE FITI, IL CUI
CUORE HA IL POTERE DI DARE LA VITA.
"TANTO TEMPO FA," DICE TALA, "IL SEMIDIO MAUI SI IMPOSSESSÒ
DI QUEL MAGICO CUORE! MA QUANDO FU ATTACCATO DA TE KA,
IL DEMONE DEL FUOCO, LO PERSE NELL'OCEANO. DA ALLORA,
LA NATURA SOFFRE!"
A QUESTE PAROLE, TUTTI I PICCOLI SI SPAVENTANO… MA NON
VAIANA, LA CORAGGIOSA NIPOTINA DI TALA. LEI HA UN RAPPORTO
SPECIALE CON L'OCEANO! INFATTI, SULLA SPIAGGIA, HA DA POCO
TROVATO UNA LUCENTE PIETRA VERDE…

GLI ANNI PASSANO, VAIANA CRESCE... SUO PADRE TUI, IL CAPO
DEL VILLAGGIO, È PREOCCUPATO PERCHÉ A MOTUNUI ORMAI
NON CI SONO PIÙ PESCI E NEMMENO BUONI FRUTTI!
UNA SERA, NONNA TALA RICORDA A SUA NIPOTE DI QUELLA STRANA
PIETRA LUCENTE TROVATA SULLA SPIAGGIA.
"È UN REGALO DELL'OCEANO PER TE!" RIVELA. "SONO CERTA SI TRATTI
DEL CUORE DI TE FITI! TROVA MAUI E INSIEME RIPRISTINATE L'ORDINE
NATURALE DELLE COSE!" RIVELA LA NONNA.
COSÌ, VAIANA PRENDE UNA BARCA E NAVIGA VERSO L'ISOLA DOVE
IL SEMIDIO È STATO ESILIATO DOPO AVER RUBATO IL MAGICO CUORE...

L'INCONTRO CON MAUI NON DÀ
I RISULTATI CHE VAIANA SPERAVA:
LUI SI RIFIUTA DI STARLA A SENTIRE
E, OLTRETUTTO, LE RUBA LA BARCA
CON CUI È ARRIVATA!
MA L'OCEANO DIMOSTRA ANCORA UNA
VOLTA LA SUA AMICIZIA NEI CONFRONTI
DELLA RAGAZZA, COSÌ... L'AVVOLGE TRA
LE SUE ONDE E LA RIPORTA DA MAUI.
RASSEGNATO, IL SEMIDIO ACCETTA
DI RIPORTARE IL CUORE A TE-FITI.
MA LO FARÀ SOLO DOPO AVER
RITROVATO IL SUO AMO MAGICO!

DOPO AVER AFFRONTATO IL GRANCHIO TAMATOA, VAIANA
E MAUI RECUPERANO QUEL PREZIOSO AMO DA PESCA CHE DÀ
A MAUI DEI POTERI SPECIALI! PER ESEMPIO, CON ESSO PUÒ
TRASFORMARSI IN VARI ANIMALI, ANCHE IN UN FALCO!
MENTRE I DUE NAVIGANO VERSO TE FITI, MAUI INSEGNA
A VAIANA A ORIENTARSI SEGUENDO LE STELLE. MA ARRIVATI
QUASI A DESTINAZIONE, I DUE VENGONO ATTACCATI DA TE KA,
UNA MOSTRUOSA CREATURA DI LAVA. LA LOTTA È IMPARI:
L'AMO SI DANNEGGIA E COSÌ ANCHE LA LORO BARCA.

MA PER FORTUNA NIENTE È PERDUTO! VAIANA,
INFATTI, FA UNA SCOPERTA SORPRENDENTE:
TE KA È LA STESSA DI TE FITI CHE, TRISTE
PER LA PERDITA DEL SUO CUORE, HA RIVELATO
LA SUA FURIA DISTRUTTRICE.
VAIANA RIPONE LA PIETRA VERDE LUMINOSA
NEL CENTRO DELL'ANIMO COMBATTENTE
DELL'ISOLA E, D'IMPROVVISO, LA NATURA
RISORGE: PESCI, FRUTTA E GIOIA RIPRENDONO
A ESISTERE.
VAIANA ORA È PRONTA A DIVENTARE
LA LEADER DEL SUO POPOLO.

ZOOTROPOLIS

Una coppia di truffatori

S EBBENE NICK OGGI SIA UNA VOLPE ONESTISSIMA, PRIMA
DI INCONTRARE JUDY AVEVA L'ABITUDINE DI COMBINARE
SEMPRE GUAI. TRA I VARI AFFARUCCI, NON PROPRIO LECITI, FACEVA
ANCHE SCOMMESSE CLANDESTINE.
QUEL GIORNO... "NICK, MI DEVI UN BEL GRUZZOLO!" DICE
MISTER BIG, LO SPIETATO CRIMINALE.
COME PAGARE QUEL DEBITO DI GIOCO? NICK VEDE UNA VECCHIA
PIPISTRELLO CHE, CON DIFFICOLTÀ, TENTA DI PARCHEGGIARE
IL SUO FURGONE.
SUBITO LE SI AVVICINA E SI OFFRE DI DIVENTARE IL SUO AUTISTA.
IN REALTÀ VUOLE IMPOSSESSARSI DELLA VETTURA.

DOPO AVER AIUTATO LA SIGNORA PIPISTRELLO A FARE LA SPESA
E AVERLA RIACCOMPAGNATA A CASA... IL FURBASTRO RIESCE
A FARSI CONSEGNARE LE CHIAVI DEL FURGONE.
PECCATO CHE, PIÙ TARDI, FINNICK, IL PICCOLO CANIDE DALL'ARIA
INGENUA, TENTI DI RUBARGLIELO.
"EHI TU! GIRA AL LARGO DALLA MIA TRUFFA!" STRILLA NICK.
E MENTRE STA PER SCOPPIARE UNA LITE, IRROMPE MISTER BIG.
"VOI DUE DOVETE SALDARMI I DEBITI! ADESSO!" SIBILA MINACCIOSO.
NICK E FINNICK SONO NELLO STESSO GUAIO E SENZA UN SOLDO!

"PER FAVORE, CI DIA TEMPO FINO AL TRAMONTO!" LO PREGA NICK.
IL TIPACCIO ACCETTA: AVRANNO QUEST'UNICA POSSIBILITÀ.
LA VOLPE HA IN MENTE QUALCOSA… PRESTO CI SARÀ
UN GROSSO TEMPORALE. SI TRATTERÀ 'SOLO' DI RACCOGLIERE
LA PIOGGIA E IMBOTTIGLIARLA. POI BISOGNERÀ DANNEGGIARE
I TUBI D'ALIMENTAZIONE DELLE FONTANE PUBBLICHE E… APPENA
TORNERÀ IL SOLE, LORO VENDERANNO L'ACQUA AI PASSANTI
ASSETATI. SUBITO, NICK E FINNICK SI METTONO ALL'OPERA.

GLI AFFARI VANNO A GONFIE VELE: I CITTADINI DI ZOOTROPOLIS
COMPRANO TUTTE LE BOTTIGLIE DAI DUE IMBROGLIONI IN
UN BATTER D'OCCHIO! LA SOMMA DA RESTITUIRE A MISTER BIG
È PRESTO RADUNATA, ED È ANCHE RIMASTA QUALCHE BANCONOTA
IN PIÙ PER LE LORO TASCHE.
RESTITUITO IL FURGONE, I DUE COMPARI FANNO UNA RIFLESSIONE:
"CONTINUIAMO A LAVORARE INSIEME?" CON UNA STRETTA DI MANO
L'ACCORDO È RAGGIUNTO.
ED ECCO COME NICK E FINNICK SONO DIVENTATI I PIÙ ABILI
TRUFFATORI DELLA CITTÀ DEGLI ANIMALI!

Trilli

La pietra di luna

OGGI C'È MOVIMENTO, ALLA RADURA INCANTATA: TRILLI E LE SUE AMICHE STANNO PREPARANDO LA GRANDE FESTA DELL'AUTUNNO. CHE EMOZIONE! QUEST'ANNO TOCCHERÀ PROPRIO A TRILLI CREARE UN NUOVO OGGETTO.

"TI AFFIDIAMO LA PIETRA DI LUNA CHE DONA MAGIA ALLO SCETTRO. TU DOVRAI COSTRUIRE IL SOSTEGNO ADATTO," DICHIARA LA REGINA CLARION.

"DURANTE LA FESTA I RAGGI DELLA LUNA ATTRAVERSERANNO LA PIETRA E ALIMENTERANNO LA SUA FORZA," SPIEGA IL MINISTRO DELL'AUTUNNO. LA FATINA RIPARATRICE È ONORATA MA... TEME DI NON ESSERE ALL'ALTEZZA DEL COMPITO.

"CI RIUSCIRAI! SEI COSÌ IN GAMBA!" CONTINUA A RIPETERE
A TRILLI L'AMICO TERENCE. "TI AIUTERÒ IN TUTTI I MODI…"
PER LA VERITÀ, LEI PREFERIREBBE CAVARSELA DA
SOLA E NON AVERE NESSUNO INTORNO. MA APPENA
FINISCE DI CREARE LO SCETTRO, INFASTIDITA DALLA
PRESENZA INSISTENTE DI TERENCE, LA FATINA
INCIAMPA, LA PIETRA DI LUNA LE SFUGGE DI MANO
E… SI ROMPE IN MILLE PEZZI! "È COLPA TUA!"
SI DISPERA TRILLI. "SEI SEMPRE TRA I PIEDI!"
STRILLA CONTRO TERENCE.
"SEI INGIUSTA!" RISPONDE LUI.
"ME NE VADO, SE È QUESTO CHE VUOI!"

TRILLI VOLA IN CERCA D'AIUTO. MA... TUTTE LE FATE SONO A TEATRO
PER UNA RAPPRESENTAZIONE IMPORTANTE! SCONSOLATA, SI SIEDE
TRA GLI SPETTATORI. ATTENDERÀ LA FINE DELLO SPETTACOLO.
SUL PALCO, SI NARRA UNA LEGGENDA... PARE ESISTA UN'ISOLA
DOVE È NASCOSTO UNO SPECCHIO IN GRADO DI ESAUDIRE
UN SOLO DESIDERIO. "ECCO LA SOLUZIONE!" MORMORA TRILLI.
"QUELLO SPECCHIO FA AL CASO MIO!" COSÌ, CORRE AL SUO
LABORATORIO, COSTRUISCE UNA MONGOLFIERA E, AVVOLTI I PEZZI
DI PIETRA, SI APPRESTA A RAGGIUNGERE L'ISOLA MISTERIOSA.
BRILLO, LA LUCCIOLA, SA DOVE SI TROVA E L'ACCOMPAGNERÀ.

MA A METÀ VIAGGIO, UNA TERRIBILE TEMPESTA SPAZZA VIA
LA MONGOLFIERA E TRILLI ATTERRA SU UNA SPIAGGIA DESERTA.
POCO DISTANTE, SU UNA BARCA ABBANDONATA, TROVA
LO SPECCHIO MAGICO! TRILLI LO AFFERRA.
"DESIDERO…" DICE, INCERTA. "DESIDERO…" RIPETE.
"SMETTI DI VOLARMI ADDOSSO!" STRILLA ALLA FASTIDIOSA
ED EMOZIONATA LUCCIOLA.
AHI! BRILLO SI BLOCCA E… IL DESIDERIO DI TRILLI VA SPRECATO!
LA FATINA SCOPPIA A PIANGERE. "QUANTO VORREI CHE TERENCE
FOSSE QUI CON ME!"
… L'AMICO È GIÀ LÌ, PREOCCUPATO PER QUELLA PARTENZA FUORI
PROGRAMMA, L'AVEVA SEGUITA…

I DUE AMICI TORNANO ALLA RADURA. TRILLI È DISPIACIUTA MA,
FORTE DELLE SUE CAPACITÀ RIPARATRICI, SI METTE ALL'OPERA.
"COSTRUIRÒ QUALCOSA DI PARTICOLARE…" DICE.
E IL GIORNO DELLA GRANDE FESTA D'AUTUNNO, SULLA CIMA
DI UN MAGNIFICO SCETTRO SONO MONTATI TUTTI I FRAMMENTI
DELLA PIETRA, UNO VICINO ALL'ALTRO. COME IN UN DIAMANTE,
LE MILLE SFACCETTATURE RIFLETTONO I RAGGI DELLA LUNA,
DIFFONDENDO TUTT'INTORNO UN BAGLIORE MERAVIGLIOSO!
"LA MAGIA DELLO SCETTRO È PIÙ POTENTE CHE MAI!" GRIDA
LA REGINA CLARION. E TRA GLI APPLAUSI, TRILLI VIENE PORTATA
IN TRIONFO!

WALL·E

La storia del film

SETTECENTO ANNI NEL FUTURO, L'UMANITÀ HA ABBANDONATO LA TERRA, ORMAI TROPPO INQUINATA. IL SOLO ABITANTE RIMASTO È WALL-E, UN PICCOLO ROBOT PROGRAMMATO PER FARE LE PULIZIE E COMPATTARE RIFIUTI SPARSI OVUNQUE. COL TEMPO, QUESTO SIMPATICO EROE RIESCE A PROVARE EMOZIONI E A SPERIMENTARE CON TUTTI GLI OGGETTI CHE TROVA IN GIRO. MA UN GIORNO, DA UNA MINI-ASTRONAVE SBARCA EVE, UNA ROBOTTINA GRAZIOSA E MOLTO INTELLIGENTE. I CIRCUITI DI WALL-E SI RALLEGRANO: È LA FINE DI TANTI SECOLI DI SOLITUDINE! ALLA SUA NUOVA AMICA MOSTRA UNA PIANTINA TROVATA TRA LE MACERIE…

OH, NO! EVE PRENDE LA PIANTINA, LA CHIUDE DENTRO DI SÉ
PER ANALIZZARLA E… SI DISATTIVA!
WALL-E È DISPERATO: LA SUA AMICA NON COMUNICA PIÙ!
COME SE NON BASTASSE, BEN PRESTO LA NAVICELLA DA CUI ERA
DISCESA VIENE A RIPRENDERLA! IL PICCOLO SPAZZINO SI AGGRAPPA
AL VEICOLO E SI LASCIA TRASPORTARE ATTRAVERSO LE GALASSIE.
NON SA DOVE SONO DIRETTI, MA CORAGGIOSAMENTE NON MOLLA
LA PRESA… SEGUIREBBE LA SUA AMATA OVUNQUE!

LA NAVICELLA ATTERRA SU UNA GIGANTESCA STAZIONE SPAZIALE.
QUI VIVONO DEGLI UOMINI ORMAI DIVENTATI OBESI E INCAPACI
DI CAMMINARE. TRA QUESTI, C'È IL CAPITANO, CHE STUFO
DI CONDURRE UN'ESISTENZA IMMOBILE E VUOTA, SCOPRE
CON GIOIA CHE LA PIANTINA RECUPERATA DA EVE È… VIVA!
"ALLORA SULLA TERRA C'È ANCORA SPERANZA!" OSSERVA STUPITO.
MA IL COMPUTER CENTRALE PRETENDE L'ASSOLUTO CONTROLLO
E CERCA DI OPPORSI AL RITORNO DEGLI UMANI SUL PIANETA.
TUTTI GLI ABITANTI DELL'AEROSTAZIONE, ROBOT COMPRESI,
SI RIBELLANO E COSÌ… FINISCE UN'EPOCA OSCURA!

FINALMENTE LA TERRA SI RIPOPOLA E LA VEGETAZIONE PIAN PIANO TORNA A FARSI SPAZIO. È BELLO VEDERE RINASCERE LE PIANTE E LA VITA!

ANCHE SE WALL-E DURANTE IL VIAGGIO SI È DANNEGGIATO, EVE TROVA IL MODO DI RIPARARLO: L'AFFETTO CHE PROVANO L'UNO PER L'ALTRA VINCE SU TUTTO. D'ORA IN POI, SARÀ DOLCE E ROMANTICO, PER I DUE, CAMMINARE MANO NELLA MANO CIRCONDATI DA TANTI AMICI, UMANI E... ROBOTICI!

DISNEY OCEANIA

L'apparenza inganna

È UNA BELLA GIORNATA DI SOLE E, DOPO PRANZO, VAIANA INTRATTIENE I BAMBINI DI MOTUNUI RACCONTANDO LORO UNA STORIA AVVENTUROSA.

"DICCI DI QUANDO SEI ANDATA A LALOTAI!" LE CHIEDE UNA BAMBINA, TUTTA EMOZIONATA.

VAIANA SORRIDE. "POCO PRIMA DI RESTITUIRE A TE FITI IL SUO CUORE," INIZIA, "IO E MAUI SIAMO ANDATI A LALOTAI. VOLEVAMO INCONTRARE UN GRANCHIO CHIAMATO TAMATOA. QUESTO GIGANTE, AFFASCINATO DA TUTTO CIÒ CHE BRILLA, AVEVA RUBATO L'AMO MAGICO DI MAUI!"

VAIANA CONTINUA IL SUO RACCONTO. "PENSATE CHE QUANDO
TAMATOA ERA… PICCOLO, ADORAVA CHE MAUI GLI PARLASSE
DELLE SUE AVVENTURE, SPECIE QUELLE CHE RIGUARDAVANO
I MOSTRI! COSÌ, MAN MANO CHE CRESCEVA, SOGNAVA DI
DIVENTARE LA CREATURA PIÙ POTENTE E INVINCIBILE DI LALOTAI.
ALLORA EBBE L'IDEA DI COSTRUIRSI UN'ARMATURA LUCCICANTE
CHE TUTTI POTESSERO VEDERE E… TEMERE. PERCIÒ, COMINCIÒ
A RACCOGLIERE PERLE, PIETRE PREZIOSE E OGGETTI BRILLANTI."

I BAMBINI ASCOLTANO CON ATTENZIONE…

"LA COLLEZIONE DI TAMATOA SI ARRICCHIVA DI GIORNO IN
GIORNO. E LUI SI SENTIVA SEMPRE PIÙ GROSSO E IMPORTANTE.
COL PASSARE DEGLI ANNI ACCUMULÒ UNA QUANTITÀ INCREDIBILE
DI OGGETTI FAVOLOSI E, QUANDO A MAUI CADDE IL SUO AMO
DURANTE LO SCONTRO CON TE KA, TAMATOA NON ESITÒ A
IMPOSSESSARSENE."

"HA PORTATO L'AMO NELLA SUA GROTTA MISTERIOSA?"
DOMANDA UNA PICCINA QUASI TREMANTE.

"PROPRIO COSÌ!" RISPONDE VAIANA. "MAUI E IO DOVEVAMO
RECUPERARLO! E QUANDO SIAMO ENTRATI LAGGIÙ, QUEL
GRANCHIO VOLEVA MANGIARCI!"

"FORTUNATAMENTE, SIAMO RIUSCITI A RIPRENDERE L'AMO
E A FUGGIRE, MA NON È STATO FACILE!" PROSEGUE VAIANA.
"CI È ANDATA BENE PERCHÉ, A UN CERTO PUNTO, TAMATOA
È INCIAMPATO E SI È CAPOVOLTO A PANCIA ALL'ARIA! E MENTRE
TENTAVA DI RADDRIZZARSI, I PEGGIORI TIPACCI DELLA ZONA
LO HANNO DERUBATO DI TUTTI I SUOI AVERI… QUANDO
FINALMENTE IL SUPER GRANCHIO SI È RIMESSO IN PIEDI, LA SUA
PREZIOSA COLLEZIONE ERA SPARITA E LUI SI ERA RIMPICCIOLITO!
SEMBRAVA COSÌ POTENTE, MA ERA UN'ILLUSIONE. PERCIÒ…
"MAI FIDARSI DELLE APPARENZE!" CONCLUDE LA RAGAZZA.

LA SIRENETTA

Una notte splendente

È UNA MAGNIFICA SERATA PIENA DI STELLE, LA LUNA BRILLA ALTA NEL CIELO. ARIEL ED ERIC CENANO SULLA TERRAZZA DEL CASTELLO CHE SI AFFACCIA SUL MARE.
"COME SONO DIVERSE LE SERATE QUI, SULLA TERRA!" OSSERVA ESTASIATA ARIEL. "SOTT'ACQUA L'OSCURITÀ A VOLTE FA PAURA!"
"VIENI CON ME," LA INVITA IL PRINCIPE. "CHIUDI GLI OCCHI, TRA POCO ASSISTERAI A UNO SPETTACOLO CHE NON HAI MAI VISTO!"
NON LONTANO, VICINO A DELLE ROCCE, ERIC HA NOTATO UN VOLO DI LUCCIOLE… APPENA ARIEL ALZA LO SGUARDO. È SORPRESA! "OHHH, CHE MERAVIGLIA!" ESCLAMA.

ERIC CATTURA DELICATAMENTE UNO DEI GRAZIOSI INSETTI.
"VEDI? IL LORO PANCINO SI ILLUMINA DALL'INTERNO!"
"È COME SE LE STELLE FOSSERO SCESE DAL CIELO PER VENIRMI
A SALUTARE..." SOSPIRA ARIEL, GUARDANDOSI INTORNO.
"PECCATO CHE LE ILLUMINAZIONI PROVENIENTI DAL VILLAGGIO
E LE TORCE INTORNO AL CASTELLO IMPEDISCANO DI APPREZZARE
LE LUCI DELLA NATURA..." DICE POI.
ERIC ALLORA HA UN'IDEA... E CON UNA CARROZZA PORTA
LA SUA PRINCIPESSA IN APERTA CAMPAGNA, TRA LE COLLINE.

DOPO QUALCHE CHILOMETRO, LA CARROZZA SI FERMA IN
UNA ZONA IN CUI SI SENTE SOLTANTO IL FRINIRE DEI GRILLI.
REGNA L'OSCURITÀ COMPLETA. ERIC STENDE UNA COPERTA
SULL'ERBA E LUI ARIEL SI SDRAIANO E GUARDANO IL CIELO.
"NON HO MAI VISTO TANTE STELLE IN VITA MIA! NON SI RIESCE
A CONTARLE!" DICE LA PRINCIPESSA. IL CUORE LE BATTE FORTE,
ERIC LE HA FATTO UN REGALO STRAORDINARIO. "NON AVREI
MAI PENSATO CHE LA VITA SULLA TERRA RISERVASSE UNA MAGIA
COSÌ MERAVIGLIOSA!"

ERIC LE MOSTRA ANCHE LE COSTELLAZIONI. "LASSÙ!" DICE,
INDICANDO IL FIRMAMENTO. "NON TI SEMBRA DI INTRAVEDERE
LA FORMA DI UN CANE? E POCO PIÙ IN LÀ C'È UN GRANCHIETTO,
UNA BARCA E… PERSINO UN TRIDENTE, COME QUELLO
DI TUO PADRE!"

ALL'IMPROVVISO, UNA STELLA SI MUOVE E LASCIA NEL CIELO
UNA LUNGA SCIA LUMINOSA. POI UN'ALTRA FA LA STESSA COSA,
E UN'ALTRA ANCORA!
"UNA PIOGGIA DI METEORE!" SPIEGA ERIC. "SI DICE CHE PER OGNI
STELLA CADUTA, UN NOSTRO DESIDERIO SI AVVERI!"
ARIEL SORRIDE: "STARE QUI CON TE STANOTTE… VALE TUTTI
I DESIDERI DEL MONDO!" MORMORA.

Biancaneve
e i Sette Nani

Un'avventura emozionante

È UNA DOLCE MATTINATA DI SOLE. BIANCANEVE E IL PRINCIPE, DOPO UNA RAPIDA COLAZIONE, DECIDONO DI FARE DUE PASSI IN GIARDINO. D'IMPROVVISO, IL PRINCIPE ASSUME UN'ARIA MISTERIOSA, CHIAMA ASTOR, LA CAVALLA CON CUI ANCHE BIANCANEVE FA LUNGHE PASSEGGIATE, E MONTA IN SELLA.
"HO DEGLI AFFARI URGENTI DA SBRIGARE," DICE.
BIANCANEVE È UN PO' STUPITA, GLI REGALA UNA ROSA IN SEGNO DI SALUTO, POI LO GUARDA ALLONTANARSI. PIÙ TARDI, ALLA PRINCIPESSA SEMBRA DI SCORGERE ASTOR AL GALOPPO.
"IL MIO PRINCIPE È TORNATO!" ESCLAMA.

MA PRESTO LA FELICITÀ DI BIANCANEVE SI TRASFORMA IN
PREOCCUPAZIONE. ASTOR È SOLA, IL PRINCIPE NON È CON LEI!
"CHE SIA SUCCESSO QUALCOSA?" SI DOMANDA BIANCANEVE,
MONTANDO IN SELLA. PRESTO, IMPIGLIATO TRA I RAMI
DI UN ALBERO, SCOPRE UN DRAPPO ROSSO:
È UN PEZZO DEL MANTELLO DEL PRINCIPE!
E QUANDO SU UN PRATO VEDE ABBANDONATO
IL CAPPELLO DEL SUO SPOSO, BIANCANEVE
SENTE IL CUORE BALZARLE IN PETTO.
"HA BISOGNO D'AIUTO!" DICE
A GRAN VOCE.

PER FORTUNA, POCHI ISTANTI PIÙ TARDI, BIANCANEVE INCONTRA
I NANI. STANNO FACENDO UN GIRO NEL BOSCO CON I LORO PONY.
"IL PRINCIPE SEMBRA SIA SCOMPARSO QUI INTORNO!" DICE SUBITO
BIANCANEVE A EOLO E BRONTOLO, I PRIMI DELLA FILA.
I NANI CONCORDANO, L'AIUTERANNO NELLE RICERCHE!
BIANCANEVE È SOLLEVATA, LA PRESENZA DEI SUOI PIÙ CARI AMICI
È IMPORTANTE! "SEGUIAMO ASTOR," DICHIARA. "SEMBRA SAPPIA
DOVE ANDARE, HA UN PASSO COSÌ SICURO!" IN EFFETTI, LA CAVALLA
HA INTENZIONE DI CONDURRE BIANCANEVE IN UN LUOGO PRECISO.

D'UN TRATTO, SI APRE UNA BELLA RADURA, ASTOR SI FERMA
E… IL PRINCIPE È LÌ, SEDUTO SULL'ERBA! "BEN ARRIVATA!"
DICE CON UN CALDO SORRISO.
BIANCANEVE SI SCIOGLIE E L'APPRENSIONE LASCIA IL POSTO
ALLO STUPORE. "OH, CARO, PENSAVO TI FOSSE ACCADUTO
QUALCOSA!"
IL PRINCIPE CORRE AD ABBRACCIARLA. "BENVENUTA AL PICNIC
A SORPRESA!" L'ALLESTIMENTO È MAGNIFICO, CI SONO FIORI
E PRELIBATEZZE DI OGNI GENERE.
BIANCANEVE ORA È FELICE. QUELL'AVVENTURA FORSE UN PO'
TROPPO EMOZIONANTE È FINITA NEL PIÙ SQUISITO DEI MODI!

Ospite a sorpresa

È UNA TIEPIDA SERATA A NEW ORLEANS, C'È PERSINO
UN PIACEVOLE VENTICELLO. AL RISTORANTE DI TIANA,
TUTTI I CLIENTI SI DIVERTONO E MANGIANO DI BUON APPETITO.
ANCHE CHARLOTTE E SUO PADRE DECIDONO DI CENARE LÌ...
PECCATO CHE NON SI SIANO ACCORTI CHE LA LORO CAGNOLONA,
STELLA, È SALITA IN MACCHINA INSIEME A LORO.
TIANA ACCOGLIE I NUOVI VENUTI CON AFFETTO E GIOIA. "ENTRATE,
PREGO, VI FARÒ ACCOMODARE A UN TAVOLO SPECIALE."
E TRA I CONVENEVOLI, NESSUNO NOTA CHE STELLA È SCESA
DALL'AUTO E HA RAGGIUNTO LA CUCINA.

L'AIUTO CUOCO ADORA I CANI E SUBITO OFFRE A STELLA UNA
CIOTOLA DI ZUPPA. COSÌ, LA QUIETA CAGNOLONA È COCCOLATA:
È UNA FELICITÀ PER LEI SENTIRSI AMATA!
LA SERATA PROSEGUE PER TUTTI NEL MIGLIORE DEI MODI, POI
CHARLOTTE E SUO PADRE RISALGONO IN MACCHINA E TORNANO
A CASA. ENTRAMBI IGNORANO CHE STELLA SIA ANCORA
FELICEMENTE AL RISTORANTE DI TIANA!
INTANTO, LOUIS, CON LA SUA BAND, HA TERMINATO IL CONCERTO.
"ANDIAMO A MANGIARE!" DICE L'ALLIGATORE. E, PER PRIMO,
ENTRA IN CUCINA.
APPENA LO VEDE, STELLA SI SPAVENTA!

COMINCIA AD ABBAIARE E… NON C'È VERSO CHE SI CALMI!
"GUARDA CHE NON TI MANGIO, SAI?" LA RASSICURARLA LOUIS.
MA LEI, IMPERTERRITA, CONTINUA A RINGHIARE.
TIANA E NAVEEN SI PRECIPITANO IN CUCINA: "COS'È QUESTO
BACCANO?" DOMANDANO.
TIANA ABBRACCIA LA CAGNOLONA E LE PARLA CON VOCE
AFFETTUOSA. NAVEEN, INVECE, ABBRACCIA LOUIS, GIUSTO
PER DIMOSTRARE CHE L'ALLIGATORE È PACIFICO E GENTILE.
COSÌ, STELLA SMETTE DI DISPERARSI E SUBITO SI DISTRAE
GRAZIE AL PROFUMINO DI CERTE COSCE DI POLLO APPENA
TOLTE DAI TEGAMI…

RIACQUISTATA LA TRANQUILLITÀ, LA SERATA
DI STELLA PROSEGUE PROPRIO COME ERA
INIZIATA: TRA CURE E BUONI BOCCONCINI.
POCO DOPO, GLI ORCHESTRALI RIPRENDONO
A SUONARE, ACCOMPAGNATI
ANCHE DALL'UKULELE DI NAVEEN.
TIANA È AL SETTIMO CIELO, SEDUTA
AL TAVOLO GUSTA IL SUO GOMBO
E ASCOLTA LA MUSICA CHE PIÙ LE PIACE.
A NOTTE INOLTRATA, TIANA E NAVEEN
RIPORTANO STELLA DA CHARLOTTE E SUO PADRE.
"TORNA QUANDO VUOI!" LE DICONO ACCAREZZANDOLE IL MUSO.

Disney PRINCESS

Cenerentola

Abiti molto speciali

QUESTA SERA, CENERENTOLA HA RICEVUTO UN INVITO DA PARTE DEGLI ABITANTI DI UN PICCOLO VILLAGGIO DEL REGNO. PRESTO CI SARÀ IL BALLO DELLA MIETITURA!

"COSA POSSO PORTARE IN SEGNO DI RINGRAZIAMENTO?" CHIEDE LA PRINCIPESSA A GIAC E GAS.

"E SE CREASSI DEGLI ABITI SPECIALI PER LE QUATTRO BAMBINE CHE ABITANO LÌ?" PROPONGONO I TOPINI.

"OTTIMO!" RISPONDE CENERENTOLA. COSÌ, CORRE A PRENDERE IL SUO FORNITISSIMO CESTO DEL CUCITO E SI METTE AL LAVORO. IL GIORNO DEL BALLO, PARTE CON LE SUE CREAZIONI.

ARRIVATA AL VILLAGGIO, APPENA SCESA DALLA CARROZZA,
CENERENTOLA SI RENDE SUBITO CONTO CHE LE BAMBINE
NON SONO QUATTRO MA… CINQUE! E MENTRE LE SALUTA
CON AFFETTO, È COSTRETTA A SCUSARSI: "SONO DISPIACIUTA,
HO SOLO QUATTRO ABITI QUI CON ME!"
LA PIÙ SAGGIA E GRANDICELLA DI LORO HA UNA MAGNIFICA
IDEA: "DA QUELLO CHE VEDO, PRINCIPESSA, I BELLISSIMI ABITI
CHE AVETE PREPARATO PER NOI SONO AMPI E HANNO MOLTO
TESSUTO! FORSE, SE NE TOGLIESSIMO UN PO' DA CIASCUNO,
POTREMMO CREARNE UN ALTRO!"

"CHE MAGNIFICA IDEA!" ESCLAMA ENTUSIASTA CENERENTOLA.

"VOLETE AIUTARMI, INTANTO?"

E COSÌ, RECUPERATO L'OCCORRENTE, FORBICI, AGO E FILO,

TUTTE SI METTONO ALL'OPERA.

"ECCO QUI DEL NASTRO VIOLA!" DICE LA BAMBINA PIÙ GRANDE.

"IO HO DELLA STOFFA AZZURRA!" AGGIUNGE LA SECONDA.

"E IO NE HO UN BEL PEZZO DI GIALLA!" CONTINUA LA TERZA.

"E IO DI QUESTO BEL ROSA!" CONCLUDE L'ULTIMA.

LA BAMBINA CHE NON HA ANCORA IL SUO ABITO GUARDA

IL GRUPPO CON UN PO' DI APPRENSIONE.

"AH, VEDRAI, CARA," DICE CENERENTOLA ALLA BIMBA, EMOZIONATA.
"IL TUO SARÀ UN MAGNIFICO ABITO ARCOBALENO, IL PIÙ BELLO
E ORIGINALE DI TUTTI!"
QUANDO ARRIVA L'ORA DEL BALLO SULL'AIA, LE BIMBE DEL
VILLAGGIO SONO ELEGANTISSIME E FELICI! "GRAZIE PRINCIPESSA!"
CANTANO IN CORO.
"GRAZIE A VOI," RISPONDE CENERENTOLA. "STATE INDOSSANDO
LE MIE CREAZIONI PIÙ BELLE!"
TRA MUSICA E UN GIROTONDO E L'ALTRO, IL POMERIGGIO
TRASCORRE IN ALLEGRIA. I CONTADINI FESTEGGIANO IL BUON
RACCOLTO, MA ANCHE LA LORO MAGNIFICA PRINCIPESSA…
MANI DI FATA!

DISNEY

HERCULES

La storia del film

SUL MONTE OLIMPO, IL SOVRANO ZEUS E SUA MOGLIE ERA
FESTEGGIANO CON TUTTI GLI DEI LA NASCITA DEL LORO
FIGLIOLETTO ERCOLE, DOTATO DI UNA FORZA STRAORDINARIA.
ZEUS OFFRE AL SUO PICCINO, QUALE DONO DI NASCITA, PEGASO,
UN CAVALLINO ALATO DESTINATO A DIVENTARE IL COMPAGNO
DI TANTE AVVENTURE.
L'UNICO A DIMOSTRARSI INFELICE È ADE, IL DIO DELL'OLTRETOMBA:
È INVIDIOSO! TORNATO NEL SUO ANTRO, CONSULTA LE PARCHE.
QUESTE GLI PREDICONO CHE DICIOTTO ANNI DOPO, LUI SAREBBE
DIVENTATO RE... SE ERCOLE NON GLIELO AVESSE IMPEDITO.

LA DECISIONE È PRESA: ADE MANDA DUE DIAVOLETTI A RAPIRE
IL PICCOLO ERCOLE E A FARGLI BERE UNA POZIONE CHE LO PRIVI
DEI SUOI POTERI. MA DUE CONTADINI CHE PASSANO PROPRIO
IN QUEL MOMENTO SALVANO IL BIMBO E LO ADOTTANO.
ERCOLE CRESCE, DIMOSTRA DI AVERE UNA FORZA SOVRUMANA
E, APPENA COMPIE DICIOTTO ANNI, I GENITORI ADOTTIVI
GLI DICONO LA VERITÀ. MA NON SOLO…
"QUANDO TI ABBIAMO TROVATO, INDOSSAVI UNO SPECIALE
MEDAGLIONE! SIGNIFICA CHE SEI FIGLIO DI UN DIO!" GLI DICONO.
E IL RAGAZZO SCOPRE COSÌ CHE IL SUO VERO PADRE È ZEUS.

ZEUS INCITA QUEL SUO FIGLIO RITROVATO A DIMOSTRARE
IL SUO EROISMO, IN MODO CHE POSSA TORNARE NELL'OLIMPO.
A QUESTO SCOPO, GLI INVIA PEGASO, IL CAVALLO ALATO
CHE GLI AVEVA REGALATO QUANDO ERA UN NEONATO.
IL MAGICO ANIMALE LO CONDUCE DA FILOTTETE, UN VECCHIO
ADDESTRATORE DI EROI.
NONOSTANTE LE MOLTE FATICHE E PERIPEZIE, ERCOLE DIVENTA
UN VALOROSO COMBATTENTE: SALVA LA CITTÀ DI TEBE E LIBERA
TUTTI GLI DEI, NEL FRATTEMPO IMPRIGIONATI DAL PERFIDO ADE.

DURANTE LE SUE EROICHE IMPRESE, ERCOLE CONOSCE LA BELLISSIMA
MEGARA E SI INNAMORA DI LEI. MA, ANCORA UNA VOLTA,
ADE S'INTROMETTE E NASCONDE LA RAGAZZA NELL'OLTRETOMBA.
ERCOLE ACCORRE E, DOPO UN PERICOLOSISSIMO VIAGGIO,
RIESCE A SALVARLA! FINALMENTE ADE VIENE SCONFITTO
E CONFINATO LONTANO DALL'OLIMPO.
IL RAGAZZO, CONSIDERATO ORMAI UN GRANDE EROE, VIENE
RIACCOLTO TRA GLI DEI MA… LUI NON VUOLE ABBANDONARE
LA SUA AMATA MEGARA! COSÌ CHIEDE A ZEUS DI POTER RESTARE
SULLA TERRA COME SEMIDIO. IL PADRE ACCONSENTE E I DUE
INNAMORATI SONO LIBERI DI VIVERE INSIEME E FELICI PER SEMPRE.

Trilli

La spedizione salva-fate

OGGI È GIORNO DI ESPLORAZIONI NEL MONDOFERMO: TUTTE LE FATE STANNO LAVORANDO MOLTISSIMO PER PORTARE L'ESTATE TRA GLI UMANI.

TRILLI E VIDIA VOLANO INSIEME NEI PRESSI DI UNA STRADA DI CAMPAGNA, QUANDO, D'UN TRATTO, PASSA UN'AUTOMOBILE.

"CHE STRANA INVENZIONE…" MORMORA TRILLI AFFASCINATA.

E SENZA PENSARCI DUE VOLTE RINCORRE QUEL MEZZO CHE LA INCURIOSISCE TANTO.

"VIENI SUBITO QUI!" LA RIMPROVERA VIDIA. "SAI CHE GLI UMANI NON DEVONO VEDERCI!"

MA TRILLI RAGGIUNGE L'AUTO CHE, NEL FRATTEMPO, HA PARCHEGGIATO. A BORDO CI SONO UN CERTO PROFESSOR GRIFFITH E SUA FIGLIA LIZZIE.

I DUE ENTRANO IN CASA, TRILLI LI SEGUE, POI ENTRA
NELLA CAMERETTA DELLA BAMBINA, MA LIZZIE LA INDIVIDUA
E… LA CATTURA!
VIDIA, FUORI DALLA FINESTRA, COMPRENDE LA SITUAZIONE
E SI PRECIPITA A CHIAMARE LE ALTRE FATE: "DOBBIAMO VOLARE
A LIBERARE TRILLI!" GRIDA.
PURTROPPO, NEL MONDOFERMO INIZIA A PIOVERE FORTISSIMO
E LE SOCCORRITRICI DEVONO FERMARSI.
INTANTO, TRILLI E LIZZIE FANNO AMICIZIA: LA BIMBA È
APPASSIONATA DI FATE! E VISTO CHE NON PARLANO LA STESSA
LINGUA, COMUNICANO CON TANTI BEI DISEGNI.

TUTTA ORGOGLIOSA, LIZZIE LASCIA PER UN ATTIMO LA NUOVA
AMICA E CORRE DA SUO PADRE: VUOLE MOSTRARGLI I SUOI
CAPOLAVORI.
"NON HO TEMPO, CARA" DICE LO SCIENZIATO, SBRIGATIVO.
"E POI LE FATE NON ESISTONO!"
LA BIMBA RESTA MALE E TRILLI NON TROVA GIUSTO CHE L'UOMO
SIA COSÌ SGARBATO CON LEI! COSÌ, PER CONSOLARLA, TRILLI
DECIDE DI REGALARLE UN PO' DI DIVERTIMENTO MAGICO.
CON UNA SPRUZZATINA DI POLVERE MAGICA…
LA BIMBA INIZIA A SVOLAZZARE DI QUI E DI LÀ PER LA STANZA!

MA BEN PRESTO, FA IL SUO INGRESSO IL GRUPPO DI SALVATAGGIO
DI TRILLI. PER LIZZIE È UNA GIOIA E… TRA CHIACCHIERE E RISATE,
IN TUTTA LA CASA RISUONA UN CERTO BACCANO.
"COSA SUCCEDE QUI?" CHIEDE IL PROFESSOR GRIFFITH, ENTRANDO
IN CAMERETTA ALL'IMPROVVISO.
L'UOMO RESTA DI STUCCO POI, APPROFITTANDO DEL FUGGI-FUGGI
GENERALE, RAPIDISSIMO, CATTURA VIDIA. VUOLE MOSTRARLA
AI SUOI COLLEGHI DELL'UNIVERSITÀ!
LE FATE SONO SGOMENTE, IL PROFESSORE SI ALLONTANA IN AUTO
E… PIOVE DI NUOVO! COME RAGGIUNGERE LA LORO AMICA?
È DECISO: SARÀ LIZZIE A VOLARE AL LORO POSTO!

AH, CHE AVVENTURA, QUELLA DI LIZZIE! È PIACEVOLE RIPARLARNE,
UN PAIO DI GIORNI DOPO, DURANTE UN DELIZIOSO TÈ SULL'ERBA!
"HAI VOLATO SULLE STRADE DI LONDRA PORTANDO TUTTE NOI
NELLE TASCHE DEL TUO SOPRABITO!" LE RAMMENTA TRILLI.
LA BIMBA È SOGNANTE. "HO INDIVIDUATO L'AUTO DI PAPÀ E…
OPLÀ, IN DUE GIRAVOLTE, L'HO RAGGIUNTO!"
IL PROFESSOR GRIFFITH SORRIDE. "È STATO FACILE CONVINCERMI.
L'ESISTENZA DELLE FATE È UN SEGRETO DA SERBARE PER SEMPRE!"
TRILLI E LE ALTRE SONO FELICI, L'ESTATE È INIZIATA CON DUE
NUOVI AMICI IN PIÙ… E UMANI, PER GIUNTA!

Disney PRINCESSES

MULAN

Alla ricerca di Cri-Cri

È UNA TRANQUILLA SERATA D'INVERNO A CASA DELLA FAMIGLIA DI MULAN. FUORI NEVICA DA ORE, UNA SPESSA E MORBIDA COLTRE BIANCA HA ORMAI COPERTO OGNI COSA.
DOPO CENA, MULAN E LA NONNA RIORDINANO LA CUCINA, LA MADRE CUCE, IL PADRE LEGGE, QUANDO…
"CHE SFORTUNA!" DICE NONNA FA MENTRE LE SFUGGE DI MANO UNA CIOTOLA CHE VA IN PEZZI.
"CHE SFORTUNA!" RIPETE MAMMA FA LÌ CHE, TRASALENDO, SI PUNGE UN DITO.
"CHE SFORTUNA!" CONFERMA FA ZHOU CHE BRUCIA LA PERGAMENA CON LA CANDELA ACCESA POGGIATA SUL TAVOLO.

"QUESTI TRE INCIDENTI NON SONO AFFATTO UN BUON SEGNO!"
ESCLAMA NONNA FA, PENSIEROSA.
MULAN CORRE IN CAMERA SUA, VUOLE FARE UNA VISITINA
A CRI-CRI, IL SUO AMATO GRILLO PORTAFORTUNA.
MA UN'AMARA SORPRESA L'ATTENDE. "OH, NO! LA GABBIETTA
È VUOTA!" DICE LA PRINCIPESSA, DISPERATA. DALLA FINESTRA
SOCCHIUSA, PERÒ SCORGE DELLE PICCOLE IMPRONTE. COSÌ,
CON CAPPOTTO E STIVALI, CORRE AL TEMPIO DEGLI ANTENATI.
FORSE MUSHU IL DRAGHETTO SA QUALCOSA! LUI E IL GRILLO
SONO MOLTO AMICI...

MULAN SPIEGA L'ACCADUTO AL DRAGHETTO. "PRESTO, DOBBIAMO
TROVARE CRI-CRI!" DICE PREOCCUPATA.
IN UN PRIMO MOMENTO, MUSHU NON SEMBRA APPREZZARE
L'IDEA DI LASCIARE IL SUO TIEPIDO ANGOLINO... POI SI LASCIA
CONVINCERE. SUBITO SI METTONO A SEGUIRE LE IMPRONTE CHE
IL GRILLO HA LASCIATO SULLA NEVE.
"PERCHÉ È USCITO CON QUESTO TEMPACCIO?" CHIEDE IL DRAGO.
"FORSE PER AIUTARE QUALCUNO!" DEDUCE MULAN.
POI, CAMMINANDO, AL FREDDOLOSO MUSHU SCAPPA UNO
STARNUTO INFUOCATO. "E LA FIAMMATA SCIOGLIE UNA PARTE DELLA
COLTRE GHIACCIATA E... OGNI TRACCIA SVANISCE.

"CHE SFORTUNA!" TUONA MULAN CONTRARIATA. MA QUANDO
TUTTO SEMBRA PERDUTO, MUSHU PENSA BENE DI LANCIARE
UNA NUOVA FIAMMATA AL CIELO. "LE TRACCE DI CRI-CRI
NON POSSONO ESSERE SPARITE DEL TUTTO, DA QUALCHE PARTE
DEVONO RIPRENDERE PER FORZA!" DICE IL PICCOLO DRAGO.
ED ECCO CHE, AD ALCUNI METRI DI DISTANZA, RICOMPARE
UN INDIZIO DEL SIMPATICO SALTERINO. I DUE SI AVVICINANO
DI CORSA E… NOTANO UNA ROCCIA DALLA FORMA STRANA.
"È UNA GROTTA SEPOLTA DA UN CUMULO DI NEVE!" OSSERVA
MULAN. DA LÌ PROVIENE UN LAMENTO…

MULAN SCAVA CON FORZA E,
LIBERATO L'INGRESSO DELLA GROTTA,
SCOPRE UNA BIMBA SEDUTA PER
TERRA. ACCANTO A LEI C'È ANCHE
CRI-CRI. "MI STAVO RIPOSANDO,"
SPIEGA LA PICCOLA, TREMANTE.
"MA È CROLLATA DELLA NEVE
E SONO RIMASTA CHIUSA QUI!"
UDITO IL RICHIAMO DELLA BIMBA,
CRI-CRI È ACCORSO, SI È TUFFATO
NEL GELO FINO A RAGGIUNGERLA,
POI HA ATTESO L'ARRIVO DEI
SOCCORSI… MUSHU ACCENDE SUBITO
UN BEL FUOCO. DI CERTO, CRI-CRI
È PROPRIO UN BEL PORTAFORTUNA!

Disney

IL RE LEONE

La storia del film

È L'ALBA DI UN NUOVO GIORNO NELLA SAVANA: È NATO SIMBA,
IL FIGLIO DI RE MUFASA E REGINA SARABI.
IL SAGGIO SCIAMANO RAFIKI PRESENTA IL CUCCIOLO A TUTTI
GLI ANIMALI, SARÀ IL LORO FUTURO RE!
IL FRATELLO DI MUFASA, SCAR, PERÒ NON PARTECIPA ALLA
CERIMONIA, È INVIDIOSO E HA IN MENTE UN AGGUATO.
NELLA SPERANZA DI LIBERARSI DEL NIPOTINO E DIVENTARE SOVRANO
AL SUO POSTO, LO ATTIRA, INSIEME ALL'AMICA NALA, IN UNA ZONA
DESOLATA E PERICOLOSA: IL CIMITERO DEGLI ELEFANTI.
LÀ I GIOVANI SONO ATTACCATI DALLE IENE! PER FORTUNA
MUFASA INTERVIENE E SCACCIA LE AVIDE BESTIACCE.

MA LO ZIO SCAR HA IN SERBO UN NUOVO PIANO. ASPETTA IL MOMENTO PROPIZIO E PORTA SIMBA IN UNA ZONA DESOLATA FACENDOGLI CREDERE CHE SUO PADRE ABBIA UNA SORPRESA PER LUI. IN REALTÀ, IL PICCOLO LEONE È STATO CONDOTTO PROPRIO NEL PUNTO DI PASSAGGIO DI UNA GIGANTESCA MANDRIA DI GNU. SIMBA STA PER ESSERE TRAVOLTO MA, ANCORA UNA VOLTA, MUFASA ACCORRE PER SALVARE SUO FIGLIO. PURTROPPO, NELLA CONFUSIONE IL RE RIMANE GRAVEMENTE FERITO... E MUORE.

MUFASA SI RIFUGIA SU UN'ALTA ROCCIA, ALLUNGA UNA ZAMPA
VERSO IL FRATELLO AFFINCHÉ LO AIUTI A METTERSI IN SALVO,
MA... IL MALVAGIO SCAR LO SPINGE TRA GLI ZOCCOLI DELLA
MANDRIA IMPAZZITA. SIMBA È DISPERATO PER SUO PADRE, MA POI
È COSTRETTO A FUGGIRE. LO ZIO LO HA CONVINTO CHE LA TRISTE
FINE DEL POVERO MUFASA SIA COLPA DELLA SUA DISOBBEDIENZA.
E SCAR, COME DESIDERAVA DA ANNI, DIVENTA RE.

SIMBA VAGA A LUNGO TRA FORESTE E DESERTI E, INTANTO,
IL TEMPO PASSA. IL PICCOLO LEONE DIVENTA UN ADULTO
CIRCONDATO DALL'AFFETTO DI NUOVI AMICI: PUMBA
IL FACOCERO E TIMON, UNA SPECIE DI MANGUSTA.
UN GIORNO, PER CASO, RITROVA NALA. LA GIOVANE
LEONESSA E COMPAGNA DI GIOCHI D'INFANZIA
LO CREDEVA MORTO! O ALMENO, COSÌ SCAR
AVEVA RACCONTATO A TUTTI…
SIMBA È PRESTO RAGGIUNTO ANCHE DA RAFIKI
CHE GLI RICORDA LE PAROLE DI SUO PADRE:
FIGLIO MIO, UN GIORNO TU SARAI RE…
SIMBA COMPRENDE DI AVERE GRANDI RESPONSABILITÀ.

IL LEONE RAGGIUNGE IL SUO FUTURO
REGNO E VA INCONTRO AL SUO
DESTINO. PRESTO SCOPRE CHE
IL RESPONSABILE DELLA MORTE
DI SUO PADRE È SCAR, L'AMBIZIOSO
E SLEALE ZIO! IN UN ULTIMO TENTATIVO
DI SALVARE LA SUA POSIZIONE,
IL PERFIDO LEONE PRECIPITA
DAL PICCO DI UNA MONTAGNA.
SIMBA ORA È IL LEGITTIMO RE DELLA
SAVANA E NALA È LA SUA REGINA.
RAFIKI PRESENTA A TUTTI GLI ANIMALI
LA LORO CUCCIOLA. E IL CERCHIO
DELLA VITA SI COMPIE DI NUOVO!

La Bella e la Bestia

Un'invenzione straordinaria

È UNA TIEPIDA GIORNATA D'AUTUNNO E, AL VILLAGGIO, HA LUOGO
LA PRIMA FIERA ANNUALE DELLE INVENZIONI. UN APPUNTAMENTO
CHE BELLE E SUO PADRE, MAURICE, NON POSSONO PERDERE!
MENTRE MAURICE PREPARA IL SUO BANCHETTO, BELLE DÀ
UN'OCCHIATA IN GIRO. NON SI ASPETTAVA DI INCONTRARE COSÌ
TANTI INVENTORI! IN PARTICOLARE, SEMBRA CHE UNO DI LORO
ABBIA RACCOLTO PIÙ CONSENSI DI ALTRI…
"È UNA RAGAZZA!" ESCLAMA BELLE AVVICINANDOSI.
LA GIOVANE CERCA UN VOLONTARIO PER DIMOSTRARE COME
FUNZIONA LA SUA MACCHINA. BELLE SI OFFRE SUBITO.

"CIAO, MI CHIAMO LISA," DICE LA SIMPATICA RAGAZZA.
ANCHE BELLE SI PRESENTA, POI CHIEDE QUAL È IL SUO COMPITO.
"DOVRAI PRENDERE ALCUNE FOGLIE DA QUEL CESTINO
E METTERLE NELLA MACCHINA," SPIEGA LISA.
BELLE ESEGUE E LISA PREME UN TASTO D'AVVIO. UN RULLO GIRA,
PREME LE FOGLIE, E... OPLÀ! DA UNA FERITOIA PIÙ IN BASSO
ESCONO DEI BEI FOGLI DI CARTA VARIEGATA.

MA, D'UN TRATTO, QUALCOSA S'INCEPPA
E I FOGLI VOLANO DAPPERTUTTO!
"DEVO ANCORA PERFEZIONARE UN PAIO
DI MECCANISMI," AMMETTE LISA.
LEI E BELLE RACCOLGONO I FOGLI
E COMINCIANO A CHIACCHIERARE.
"HO SEMPRE VOLUTO COSTRUIRE
UN'INVENZIONE CHE POTESSE
DIFFONDERE GIOIA. TROVO CHE
I BEI MESSAGGI APRANO IL CUORE
DI CHI LI LEGGE!" DICE LISA.

D'UN TRATTO BELLE HA UN'IDEA: SOPRA UNO DEI FOGLI SCRIVE:
NESSUN FIORE HA IL PROFUMO DEL VOSTRO PANE...
POI INVITA LA GRAZIOSA FIORISTA A CONSEGNARLO AL TIMIDO
PANETTIERE: I DUE SI PIACCIONO, MA NON HANNO IL CORAGGIO
DI DIRSELO! POCO DOPO, ECCOLI AVVICINARSI!

FELICI DEL RISULTATO OTTENUTO, LE DUE RAGAZZE DECIDONO
DI FARE UN ALTRO TENTATIVO. CORRONO DAL LIBRAIO E, DALLA
FINESTRA, FANNO VOLARE ALL'INTERNO DEL SUO NEGOZIO UN
MESSAGGIO: *I VOSTRI LIBRI REGALANO SEMPRE SOGNI E APRONO
LE MENTI E I CUORI.*
L'UOMO, NON PIÙ GIOVANE, CHE SPESSO SI LAMENTA DI NON
ESSERE PIÙ UTILE A NESSUNO, ORA SORRIDE!

BELLE E LISA DECIDONO, ALLORA, DI DISTRIBUIRE UN PO' OVUNQUE
ALTRI MESSAGGI AFFETTUOSI. A FINE GIORNATA, ARRIVA IL MOMENTO
DI SALUTARSI. "TI SCRIVERÒ!" ESCLAMA BELLE CON UN ABBRACCIO.
"ANCH'IO, NON DUBITARE!" RISPONDE L'AMICA.

INSIDE OUT

Disney·PIXAR

Riley e Bing Bong

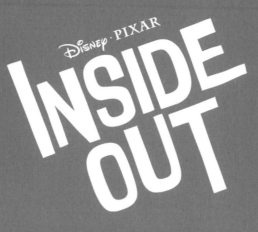

IL PASSATEMPO PREFERITO DI RILEY E BING BONG, IL SUO
AMICO IMMAGINARIO, È QUELLO DI CANTARE E SUONARE.
PASSANO ORE A STRIMPELLARE STRUMENTI E GORGHEGGIARE!
GIOIA SI DIVERTE UN MUCCHIO AD ASCOLTARLI!
AL CONTRARIO, RABBIA DETESTA QUEL BACCANO...
PAURA TEME CHE RILEY SI FERISCA CON LE BACCHETTE
DEL TAMBURO, TRISTEZZA, POI, VORREBBE SENTIRE SOLTANTO
MELODIE PIAGNUCOLOSE, MENTRE DISGUSTO NON SOPPORTA CHE
BING BONG USI LA SUA PROBOSCIDE COME UNA TROMBETTA...
UN GIORNO, L'ELEFANTINO HA UN'IDEA: "PERCHÉ NON ANDIAMO
IN TOURNÉE? COME UNA VERA BAND!"

"FANTASTICO! FANTASTICO!" COMMENTA RILEY TUTTA ENTUSIASTA.
"POTREMMO ANDARE IN AUSTRALIA E ORGANIZZARE UN BEL
CONCERTO PER I CANGURI!"
"PERFETTO! PRENDIAMO UN RAZZO PROPULSORE E PARTIAMO
SUBITO!" DICE BING BONG.
RILEY CORRE DAI SUOI GENITORI: "SONO VENUTA A SALUTARVI,
PARTO PER L'AUSTRALIA!"
"VA BENE," RISPONDE LA MAMMA.
"MA TORNA PER CENA!"
"E PREPARATI AD ATTRAVERSARE
L'OCEANO!" AGGIUNGE IL PAPÀ.
"PRENDIAMO I SALVAGENTI!" BISBIGLIA
RILEY A BING BONG.

I DUE AMICI PREPARANO I BAGAGLI E POI SALGONO SUL RAZZO.
"PRIMO UFFICIALE!" CHIAMA RILEY. "TUTTO PRONTO PER
LA PARTENZA?"
"STRUMENTAZIONE IN ORDINE, COMANDANTE!" RISPONDE L'ALTRO.
"ATTIVIAMO IL PULSANTE DI LANCIO!" ORDINA LA BAMBINA.
ED ECCO I DUE MUSICISTI SORVOLARE L'OCEANO IN DIREZIONE
DELLA LORO META. NEL QUARTIER GENERALE, POCO DOPO,
LE EMOZIONI APPLAUDONO ALL'ATTERRAGGIO.

IL CONCERTO È UN SUCCESSONE. TUTTI GLI ANIMALI D'AUSTRALIA
FESTEGGIANO I NUOVI IDOLI DELLA MUSICA. DOPO UN'ULTIMA
CANZONE, RILEY E BING BONG TORNANO A CASA, GIUSTO
IN TEMPO PER LA CENA.
"FINALMENTE SONO TORNATI…" SOSPIRA TRISTEZZA.
"CERTO! MA QUANTO È BELLO VIAGGIARE!" GRIDA GIOIA.
"PREFERISCO STARE AL SICURO NELLA MIA CAMERETTA…" DICE PAURA.
RILEY ANNUNCIA AI SUOI GENITORI CHE IL SUO PROSSIMO CONCERTO
SARÀ PER I PINGUINI DEL POLO NORD. CON UN AMICO COME
BING BONG, NON CI SI ANNOIA MAI!

LA SIRENETTA

Il tesoro di Atlantica

UNA MATTINA, MENTRE ARIEL PASSEGGIA SULLA SPIAGGIA IN COMPAGNIA DI SCUTTLE, IL GABBIANO, INCIAMPA IN QUALCOSA. COSÌ, SCOSTA DELLE ALGHE PER GUARDARE MEGLIO E SCOPRE… UNA SCINTILLANTE COLLANA.
"CHE ACQUAMARINA MERAVIGLIOSA! PROVIENE DALL'OCEANO?" CHIEDE LA PRINCIPESSA. INCURIOSITA, CHIEDE A SCUTTLE DI RINTRACCIARE SEBASTIAN, COSÌ CHE CHIAMI SUO PADRE. POCO DOPO, RE TRITONE EMERGE IN SUPERFICIE. "AH, POSSO MOSTRARTI DA DOVE PROVIENE QUEL GIOIELLO!" DICE LUI. "MA… DOVRAI DIVENTARE DI NUOVO SIRENA." E, PUNTANDO IL SUO TRIDENTE, FA SPUNTARE DI NUOVO LA CODA AD ARIEL.

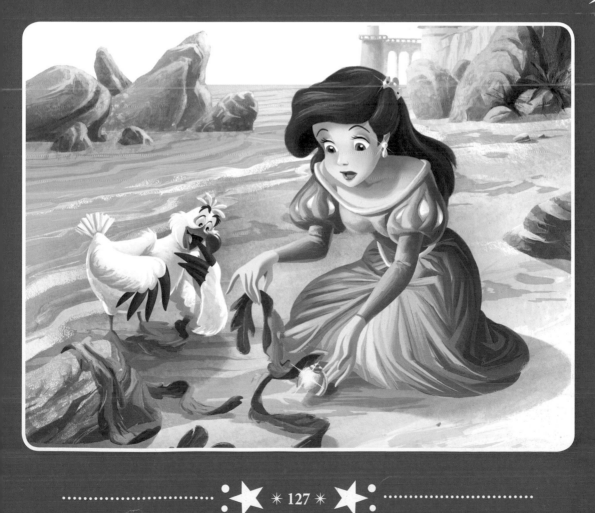

LA SIRENETTA SI TUFFA TRA LE ONDE STRINGENDO TRA LE MANI
LA COLLANA. È FELICE DI NUOTARE IN LIBERTÀ E RITROVARE
LA SUA ATLANTICA! QUANDO ARRIVA ALLA SALA DEL TRONO,
NOTA CHE LA GRANDE CONCHIGLIA OVE ERA CUSTODITO
IL SECOLARE TESORO DEL REGNO È… VUOTA!
"L'ACQUAMARINA CHE HAI TROVATO È UNO DEI BENI PREZIOSI
CHE GIACEVANO QUI DA TEMPI REMOTI," LE SPIEGA SUO PADRE.
"MA UN'ONDA GIGANTESCA HA PORTATO
VIA TUTTO."

ARIEL INIZIA A ESPLORARE IL GALEONE ARENATO. NON IMPIEGA
MOLTO TEMPO PRIMA DI TROVARE UNA DOZZINA DI PIETRE
PREZIOSE FINITE QUA E LÀ. DOPODICHÉ, DECIDE DI PERLUSTRARE
LA BARRIERA CORALLINA.

TRA I TANTI COLORI CHE ORNANO IL FONDALE, NON È FACILE
INDIVIDUARE DEI GIOIELLI… MA CON L'AIUTO DEI SUOI AMICI, ARIEL
NE RECUPERA A DECINE. E OGNI VOLTA, IL SUO CUORE ESPLODE
DI FELICITÀ. IN POCHE ORE, ARIEL E IL SUO IL GRUPPETTO DI PESCI
RIESCONO A RITROVARE CIÒ CHE ERA ANDATO PERDUTO.

RE TRITONE È COMMOSSO.

"ARIEL, A NOME DEL REGNO DI ATLANTICA, TI RINGRAZIO
DAL PROFONDO DEL CUORE," LE DICE. E, A PIENO DIRITTO,
LE LASCIA TENERE LA COLLANA CON L'ACQUAMARINA,
IN MEMORIA DELLA SUA SPLENDIDA IMPRESA.
QUANDO ARIEL RIPRENDE LE SUE SEMBIANZE UMANE, ERIC
LA STA ASPETTANDO SUI GRADINI DEL PALAZZO.
"DOVE SEI STATA?" LE CHIEDE. "ERO PREOCCUPATO…"
ARIEL GLI RACCONTA DELLA STRAORDINARIA GIORNATA APPENA
TRASCORSA. GUARDANDO LA SERA SCENDERE SUL MARE, TRA
LE BRACCIA DEL SUO PRINCIPE, ARIEL SORRIDE. INDOSSANDO IL
GIOIELLO, PORTERÀ SEMPRE CON SÉ UN PEZZETTO DI ATLANTICA.

POCAHONTAS

Dov'è Nakoma?

AI PIEDI DI UNA MAGNIFICA FORESTA, OLTRE IL VILLAGGIO DEI POWHATAN, SI STAGLIANO LE RIVE DI UN LAGO DALLE ACQUE SPESSO INCRESPATE DAL VENTO.

POCAHONTAS STA RIENTRANDO DA UNA RILASSANTE GITA IN CANOA INSIEME A MEEKO, IL PROCIONE, E A FLIT, IL COLIBRÌ.

D'UN TRATTO, DAGLI ALBERI SPUNTA NAKOMA, L'AMICA DI SEMPRE.

"STA ARRIVANDO UNA TEMPESTA! TUO PADRE MI HA MANDATO A CERCARE GLI ABITANTI DEL VILLAGGIO. DOVETE RIENTRARE TUTTI!" STRILLA AFFANNATA.

"D'ACCORDO!" RISPONDE POCAHONTAS, PER NULLA PREOCCUPATA. INTANTO, NAKOMA SI ALLONTANA.

POCAHONTAS DECIDE, ALLORA, DI RIPORTARE LA CANOA A RIVA.
MA DOPO DUE COLPI DI REMO, UN'ONDA IMPROVVISA SCAGLIA
L'IMBARCAZIONE UN'ALTRA VOLTA AL LARGO…
NEL LAGO SI SONO FORMATI DEI GORGHI, IL VENTO BATTE FORTE:
LA SITUAZIONE È DIVENTATA PERICOLOSISSIMA!
"È TROPPO DIFFICILE ATTRACCARE!" SI LAMENTA POCAHONTAS.
PER FORTUNA, MEEKO, CON UN RAMO RIPESCATO DALL'ACQUA,
FUNGE DA TIMONIERE E RIESCE A DARE UN AIUTO PER LE MANOVRE.
"CE L'ABBIAMO FATTA!" ESCLAMA POCAHONTAS TOCCANDO TERRA,
ALCUNI MINUTI PIÙ TARDI.

AL VILLAGGIO, POCAHONTAS DÀ UNA MANO AGLI ALTRI ABITANTI.
DOPO AVER PORTATO ALL'ASCIUTTO DEI CESTI DI MAIS, LA RAGAZZA
ENTRA NELLA TENDA DEL CAPO POWHATAN, SUO PADRE.
"FIGLIA MIA!" L'UOMO L'ACCOGLIE CON ARIA PREOCCUPATA.
"CREDEVO CHE NAKOMA NON FOSSE RIUSCITA AD AVVISARTI," DICE.
"MI DISPIACE, PADRE, NON L'HO ASCOLTATA SUBITO E HO PERSO
DEL TEMPO PREZIOSO," AMMETTE POCAHONTAS.
MA… A PENSARCI, LEI NON HA VISTO LA SUA AMICA TRA COLORO
CHE SI METTEVANO IN SALVO. "PADRE, DOV'È NAKOMA?" CHIEDE.
"CREDEVO FOSSE CON TE!" RISPONDE LUI.

*NAKOMA È ANCORA LÀ FUORI! POTREBBE ESSERE
FERITA O NEI GUAI!* PENSA SUBITO POCAHONTAS.
E, USCITA SOTTO IL TEMPORALE, CORRE A CERCARLA.
"NAKOMA, RISPONDI!" GRIDA POCAHONTAS
AGGIRANDOSI NEI DINTORNI DELL'ACCAMPAMENTO,
POI, NELLA FORESTA, SENTE FORSE UN RICHIAMO.
LA PRINCIPESSA SI PRECIPITA LÀ DOVE LE SEMBRA
DI AVER UDITO QUALCOSA.
"SONO QUI, VIENI!" URLA NAKOMA NEL FRASTUONO
DELLA PIOGGIA E DEI TUONI.
E FINALMENTE, SOTTO UNA ROCCIA CHE SPORGE
DA UN PICCO, LE DUE AMICHE SI RIABBRACCIANO.

"DOPO AVER AVVISATO TUTTI, AVREI VOLUTO TORNARE ALLA MIA TENDA," SPIEGA POI NAKOMA. "MA HA INIZIATO A PIOVERE FORTE E… HO DOVUTO METTERMI AL RIPARO DOVE POTEVO." POCAHONTAS SI STRINGE ACCANTO A LEI SOTTO UNA CALDA COPERTA. NELLA ROBUSTA TENDA DI CAPO POWHATAN, LE DUE RAGAZZE NON HANNO PIÙ NULLA DA TEMERE, ORMAI. INTORNO AL FUOCO CI SI SCALDA IN FRETTA E SI RITROVA IL SORRISO. LONTANE DA OGNI MINACCIA, INSIEME AI PROPRI CARI, È BELLO ASCOLTARE I RACCONTI DELLE STRAORDINARIE AVVENTURE DEGLI ANTICHI NATIVI D'AMERICA.

Disney · PIXAR

IL VIAGGIO DI ARLO

La storia del film

MILIONI D'ANNI FA, L'ASTEROIDE CHE AVREBBE POTUTO CAUSARE L'ESTINZIONE DEI DINOSAURI… OLTREPASSA, INVECE, LA TERRA, LA MANCA PER UN SOFFIO E CAMBIA COSÌ IL CORSO DELLA NOSTRA STORIA.

I DINOSAURI, DUNQUE, SI EVOLVONO, DIVENTANO PIÙ INTELLIGENTI E MOLTI SI TRASFORMANO IN ALLEVATORI O AGRICOLTORI.

UNA FAMIGLIA DI APATOSAURI COMPOSTA DA HENRY, IL PADRE, IDA, LA MADRE E I LORO TRE FIGLI LIBBY, BUCK E ARLO VIVONO IN UNA BELLA FATTORIA. TUTTI LAVORANO E SI DANNO UN GRAN DAFFARE. SOLO UNO È IMPACCIATO E PAUROSO: ARLO!

UNA SERA, ARLO CERCA DI IMPRIGIONARE UN PICCOLO
CAVERNICOLO COLPEVOLE DI FURTO DI MAIS, MA... NON CI RIESCE
E LO LASCIA FUGGIRE! PAPÀ HENRY È DELUSO DALLA MANCANZA
DI PRONTEZZA DEL SUO FIGLIOLO FIFONE... COSÌ, DECIDE
DI PARTIRE CON LUI ALLA RICERCA DEL LADRUNCOLO.
PER TRISTE FATALITÀ, DURANTE IL VIAGGIO, HENRY PRECIPITA
E SPARISCE TRA LE ACQUE TEMPESTOSE DI UN FIUME.
ARLO SI RITROVA SOLO, SPAVENTATO, MA PRESTO SI ACCORGE
DI UN BAMBINO LÌ VICINO CHE, ADDIRITTURA, LO CONSOLA CON
QUALCHE SUCCOSA BACCA.

L'AMICIZIA TRA ARLO E IL CAVERNICOLO, CHE L'APATOSAURO CHIAMA
SPOT, IN PRINCIPIO SI RIVELA TURBOLENTA...
ARLO RITIENE IL BAMBINO SIA RESPONSABILE DELL'INCIDENTE
ACCORSO A SUO PADRE! MA COL TEMPO, I DUE SI AFFEZIONANO
L'UNO ALL'ALTRO.
UNA NOTTE, TORNANDO VERSO CASA, TRE ORRIBILI PTERODATTILI
RAPISCONO SPOT. PER LA PRIMA VOLTA IN VITA SUA, ARLO NON
FUGGE, ANZI, SI FA CORAGGIO!

IL GIOVANE DINOSAURO SI LANCIA CONTRO I TRE TERRIBILI
PREDATORI E, SENZA ESITARE, SALVA IL PICCOLO CAVERNICOLO.
DOPO ESSERSI RIPRESI DALLA BRUTTA AVVENTURA, ARLO E SPOT
CONTINUANO IL LORO CAMMINO, FIANCO A FIANCO.
ORMAI VICINI ALLA FATTORIA DEGLI APATOSAURI, I DUE AMICI
INCONTRANO UNA FAMIGLIOLA DI UMANI: ARLO CAPISCE CHE
IL DESTINO DI SPOT È DI VIVERE CON LORO. UN ADDIO È DOLOROSO,
MA NECESSARIO…
ANCHE IL DINOSAURO SI RIUNISCE ALLA SUA FAMIGLIA E, ALLA FINE
DEL SUO VIAGGIO STRAORDINARIO, HA IMPARATO AD ABBRACCIARE
VALORI QUALI L'AMICIZIA E IL CORAGGIO.

Biancaneve
e i Sette Nani

La caccia al tesoro

OGGI IL PRINCIPE DEVE ALLONTANARSI DALLA SUA SPOSA…
PER FORTUNA, I SETTE NANI LE FARANNO COMPAGNIA.
DURANTE UNA PASSEGGIATA, BIANCANEVE TROVA
UNA BUSTA E LA APRE. "È DEL PRINCIPE!" ESCLAMA.
"PRIMO INDIZIO DI UNA CACCIA AL TESORO," LEGGE
A VOCE ALTA. "PER TROVARE IL SECONDO, TI SVELO
UN SEGRETO, DEVI GUARDARE SOTTO IL VECCHIO…"
"IL VECCHIO ROSETO!" DEDUCE DOTTO.
"FRUTTETO!" CORREGGE BRONTOLO. MA TRA L'UNO E L'ALTRO,
I NANI SI DISTRAGGONO CON GLI INSETTI CHE SI POSANO QUA E LÀ.

"E SE FOSSE SOTTO… L'ACETO?" DOMANDA BIANCANEVE. "È IN UNA BOTTE IN CANTINA, LO FACCIAMO INVECCHIARE LÌ!" TUTTI SI PRECIPITANO AL CASTELLO MA, PASSANDO PER UN ANTICO SALONE, NOTANO UNO STRANO MOVIMENTO SOTTO UN… 'VECCHIO TAPPETO.'

IN UN ATTIMO, SALTA FUORI CUCCIOLO CON UNA BUSTA IN MANO. "BRAVO!" SI COMPLIMENTA BIANCANEVE. "HAI TROVATO IL SECONDO INDIZIO!" INCURIOSITA, LA PRINCIPESSA LEGGE AD ALTA VOCE: "SE IN CUCINA ANDATE IN VOLATA, IL TERZO INDIZIO È VICINO ALLA BUONA…"
I NANI IN CORO GRIDANO: "CROSTATA!"

E DOPO UNA MERITATA MERENDA,
È ORA DI SCOPRIRE IL CONTENUTO
DEL TERZO MESSAGGIO NASCOSTO
PROPRIO SOTTO AL PIATTO DELLA CROSTATA:
"SI PORTA ADDOSSO E AL VISO DONA!
PREZIOSA È…"
I NANI SI GUARDANO UN PO' INCERTI.
"UNA GONNELLONA, MAGARI DI BROCCATO?"
SI CHIEDE PISOLO.
DI CAPI INDOSSATI DALLE RAGAZZE, I SETTE AMICI NON SE NE
INTENDONO PROPRIO. TUTTAVIA, UN SALTO NELLA STANZA
GUARDAROBA DI BIANCANEVE PUÒ RIVELARSI UTILE! E INFATTI:
"UNA CORONA, È PREZIOSA E AL VISO DONA!" STRILLA MAMMOLO.

"CI SEI QUASI!" LEGGE, QUINDI, BIANCANEVE. "IN UN BATTITO D'ALI… ALLA COLONNA IN GRANITO, UN MIO PENSIERO TI GIUNGERÀ GRADITO."

BIANCANEVE E I NANI SANNO BENISSIMO DOVE RECARSI: NELLA SALA DEI MARMI. APPENA VI FANNO INGRESSO, DEGLI UCCELLINI PORTANO IN VOLO UNA COLLANA CON UN CIONDOLO A FORMA DI CUORE PER LA PRINCIPESSA. "OH!" MORMORANO IN CORO. MA… POCO DISTANTE, C'È UN ULTIMO MESSAGGIO. "ECCO TROVATO IL TUO TESORO!" LEGGE BIANCANEVE. "NON È LA PIETRA, NON È IL GIOIELLO, MA SONO GLI AMICI A FARE IL TEMPO PIÙ BELLO!"

Trilli

I giochi della Radura Incantata

È APPENA SORTO IL SOLE E TRA LE FATE ALEGGIA GRANDE
EMOZIONE. INIZIANO I GIOCHI DELLA RADURA INCANTATA!
DURANTE QUESTO APPUNTAMENTO SPORTIVO ANNUALE,
OGNI SQUADRA S'IMPEGNERÀ A DIMOSTRARE IMPEGNO FISICO
E RESISTENZA.
ALLA PRIMA PROVA, LA GARA SU RANE, PER LA CATEGORIA FATE
DEL GIARDINO, C'È ROSETTA.
A GUARDARLA BENE NON SEMBRA MOLTO FELICE, LEI DETESTA
QUESTA MANIFESTAZIONE, MA È STATA ESTRATTA A SORTE E NON
PUÒ SOTTRARSI. "OH, NO!" STRILLA. "NON SOPPORTO QUESTE
GIGANTESSE DELLO STAGNO! SONO COSÌ… SCIVOLOSE!"

NONOSTANTE CAPITOMBOLI E TREMARELLE, LA CATEGORIA FATE
DEL GIARDINO RIESCE A PASSARE IL TURNO. IL MERITO VA A
CHLOE, UNA NUOVA ARRIVATA, MOLTO DINAMICA ED ENTUSIASTA.
INVANO LA VIVACE FATINA CERCA DI SPRONARE ROSETTA:
"TIENI DRITTE QUELLE GAMBE!"
LO SCI NAUTICO CON LIBELLULE È DIFFICILE.
"CE LA METTO TUTTA!" STRILLA CON UNO SCATTO
D'ORGOGLIO ROSETTA, E COSÌ…
ANCHE QUESTO TURNO È PASSATO.
MA NON SOLO: UN MERITATO SECONDO
POSTO IN CLASSIFICA ARRIVA QUANDO
PROPRIO LEI SEGNA IL PUNTO DECISIVO
ALLA GARA DI POLO SU TOPO.

LA SQUADRA DEI CAMPIONI IN CARICA, QUELLA DELLE FATE
DELLA TEMPESTA, CAPITANATA DA FAVILLA E ROMBO,
PER UN LUNGO MOMENTO SEMBRA ANCORA INVINCIBILE...
TUTTAVIA, DURANTE LA GARA DI SEMIFINALE, QUELLA SU TAZZA
VOLANTE, ROSETTA E CHLOE SONO PIÙ DETERMINATE CHE MAI
E SI DIMOSTRANO VELOCISSIME.
DAGLI SPALTI, SI SENTONO APPLAUSI E URLA, IL TIFO È TUTTO
PER LE FATE DEL GIARDINO. ROMBO RIESCE COMUNQUE
A CLASSIFICARE LA SUA SQUADRA, MA... È FURIOSO!

È IL GIORNO DELLA FINALE. LA SFIDA CONSISTE NEL SUPERARE LA MONTAGNA INFANGATA. GIÀ DALLA PARTENZA, FAVILLA E ROMBO CERCANO DI RAGGIUNGERE LA CIMA, MA CONTINUANO A SCIVOLARE ALL'INDIETRO: "COSÌ CI IMPANTANIAMO!" ESCLAMA ROMBO. ROSETTA E CHLOE INVECE SALGONO AGEVOLMENTE.

POSSONO AVVALERSI DI UN'INVENZIONE DI TRILLI:
LA LORO VETTURA SI TRASFORMA IN CARRARMATO!
"SCHIZZA FANGO DAPPERTUTTO!" RIDE ROSETTA.
ALL'IMPROVVISO, ROMBO SCAGLIA UN FULMINE E DANNEGGIA
LA VETTURA DELLE FATE DEL GIARDINO.

POI ROMBO SI LANCIA ALL'ATTACCO E TAGLIA IL TRAGUARDO…
DA SOLO, FAVILLA È RIMASTA INDIETRO! "MA COSA FAI?"
LE URLA LUI. "LO SAI CHE DOBBIAMO RAGGIUNGERE L'ARRIVO
IN COPPIA, QUESTA È LA REGOLA!"
FAVILLA SORRIDE. "LO SO," DICE CALMA. "MA LA VITTORIA VA
CONQUISTATA CON LEALTÀ. LA SQUADRA MIGLIORE È QUELLA
DELLE FATE DEL GIARDINO E IO LE LASCERÒ PASSARE."
COSÌ, ROSETTA E CHLOE, TENENDOSI PER MANO, VINCONO
I GIOCHI DELLA RADURA INCANTATA!
REGINA CLARION SI CONGRATULA CON TUTTI: SOPRA OGNI COSA,
OGGI HA VINTO L'ONESTÀ!

DISNEY PRINCESS

Rapunzel

Nemici... perfetti!

OGGI RAPUNZEL COMPIE DICIOTTO ANNI E LA GIORNATA SI PROSPETTA PIUTTOSTO MOVIMENTATA. A COMINCIARE DALL'INCONTRO CON FLYNN. UN LADRO, SÌ, MA BUONO DI CUORE. GRAZIE A LUI, È RIUSCITA A FUGGIRE DALLA TORRE IN CUI MADRE GOTHEL LA TENEVA PRIGIONIERA DA ANNI! I DUE SI SONO APPENA IMBATTUTI IN MAXIMUS, IL CAVALLO DELLA GUARDIA REALE. LUI E FLYNN NON SONO MOLTO AMICI... TRA GOMITATE, PESTONI E SCORTESIE VARIE, LE PRIME ORE DI LIBERTÀ DELLA PRINCIPESSA NON SEMBRANO ESSERE PROPRIO COME LEI LE SOGNAVA.

RAPUNZEL VUOLE ESSERE A PALAZZO PRIMA DEL CALAR DELLA
SERA: DESIDERA ASSISTERE ALLO SPETTACOLO DELLE LANTERNE
CHE VOLANO ALTE NEL CIELO, COME ACCADE OGNI ANNO,
IL GIORNO DEL SUO COMPLEANNO.
"BASTA! MAXIMUS, FAI UNO SFORZO!" ESCLAMA. "FLYNN, NON
È DIFFICILE, ACCAREZZA QUI, GRATTA LÌ, ED È PRESTO FATTO!"
I DUE NON SONO CONTENTI, MA ACCETTANO COMUNQUE
DI VIAGGIARE INSIEME E ARRIVANO FATICOSAMENTE A PALAZZO.
PECCATO CHE FLYNN, AVENDO RUBATO LA CORONA REALE, SIA
RICERCATO E NON DEBBA IN ALCUN MODO FARSI RICONOSCERE...

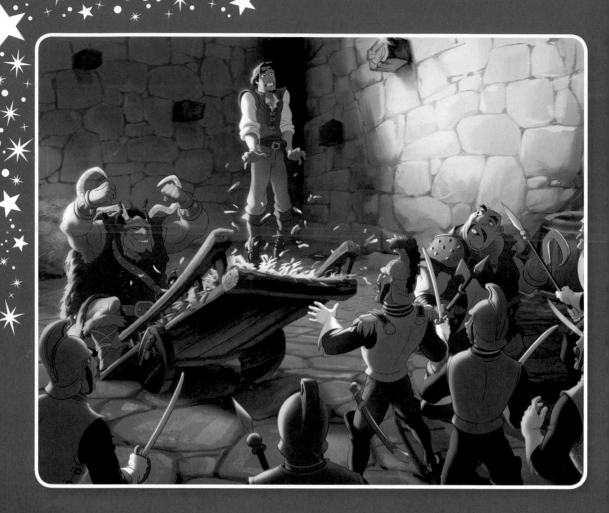

NEL CORSO DELLA GIORNATA, MAXIMUS SCOPRE CHE FLYNN
NON È POI COSÌ ANTIPATICO... A SERA, INFATTI, IL GIOVANE LADRO
PROPONE A RAPUNZEL UNA GITA IN BARCA, IN MODO DA POTER
AMMIRARE LE LANTERNE DALL'ACQUA. PER GIUNTA, REGALA
AL DESTRIERO UN BEL SACCO DI MELE DA SGRANOCCHIARE SULLA
RIVA DEL LAGO IN ATTESA DEL LORO RIENTRO! MA QUANDO TUTTO
SEMBRA ANDARE PER IL MEGLIO, FLYNN RITORNA, AMMANETTATO,
CON TRE GUARDIE. E DI RAPUNZEL... NESSUNA TRACCIA!
MAXIMUS CORRE ALLA TAVERNA DEL BRUTTO ANATROCCOLO
AD AVVISARE GLI AMICI: BISOGNA FAR EVADERE IL RAGAZZO!

FLYNN RIESCE A FUGGIRE E LUI E IL CAVALLO TORNANO DI CORSA
ALLA TORRE, NEL CUORE DELLA NOTTE. VOGLIONO LIBERARE
NUOVAMENTE RAPUNZEL DALLE GRINFIE DI MADRE GOTHEL.
NON È FACILE MA… CI RIESCONO!
IL GIORNO SEGUENTE, TUTTI E TRE FANNO RITORNO A PALAZZO.
RAPUNZEL HA FINALMENTE LA CONFERMA DI ESSERE LA FIGLIA DEL
RE E DELLA REGINA, CHE SONO FELICI DI POTERLA RIABBRACCIARE.
NON L'HANNO MAI DIMENTICATA! MA PER RAPUNZEL ANCHE
GLI AMICI… SONO UN VALORE! QUESTO TERZETTO NON DOVRÀ
SCIOGLIERSI MAI.

Disney · PIXAR

RIBELLE
THE BRAVE

Un cavallo leggendario

LA PIOGGIA SCENDE FITTA SU DUNBROCH. MERIDA HA TROVATO RIPARO NELLA STALLA, INSIEME AD ANGUS, IL SUO AMATO DESTRIERO. È IMMERSA NELLA LETTURA DI UNA RACCOLTA DI LEGGENDE SCOZZESI. "QUESTA STORIA PARLA DI UN KELPIE, UN CAVALLO MAGICO CHE VIVE TRA LAGHI E FIUMI!" ESCLAMA. TORNATO IL BEL TEMPO, MERIDA SALTA IN SELLA AD ANGUS: CHE PIACERE ABBANDONARE PER UN PO' IL CASTELLO E FARE UNA CAVALCATA ALL'APERTO!
RAGGIUNTA LA FORESTA, L'ANIMALE SI FERMA DI COLPO. UNA STRANA LUCE GRIGIA BRILLA DA DIETRO GLI ALBERI…

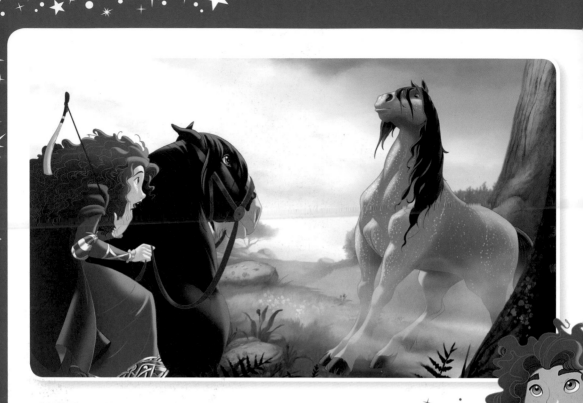

MERIDA CAVALCA IL SUO ANGUS CON CAUTELA
VERSO IL PUNTO LUMINOSO…
È PROPRIO LÌ CHE SCOPRE UN MAGNIFICO
CAVALLO GRIGIO, CON LA CRINIERA INTRISA D'ACQUA.
"SEMBRA PROPRIO IL CAVALLO MAGICO DI CUI
NARRANO LE LEGGENDE SCOZZESI!"
ANGUS SOFFIA RUMOROSAMENTE,
IN SEGNO DI PROTESTA. QUELLA CREATURA
NON GLI ISPIRA FIDUCIA! MERIDA NON È
DELLA STESSA OPINIONE: SI AVVICINA AL NUOVO
VENUTO SENZA PAURA. "VIENI QUI, BELLO,"
SUSSURRA DOLCEMENTE, TENTANDO
QUALCHE CAREZZA PER FARE AMICIZIA.

SENZA ALCUNA INCERTEZZA, MERIDA SALE SUL DORSO
DEL CAVALLO GRIGIO. L'ANIMALE NITRISCE, SI IMPENNA
E D'IMPROVVISO PARTE AL GALOPPO. È DIRETTO VERSO
UNA SCOGLIERA A STRAPIOMBO SU UN LAGO DALLE
ACQUE AGITATE.

PREOCCUPATO, ANGUS SI LANCIA ALL'INSEGUIMENTO DELLA SUA
ADORATA PRINCIPESSA. LE MANI DI MERIDA SONO INTRAPPOLATE
NELLA FOLTA CRINIERA DELLO STALLONE E, PER GIUNTA, QUELLO
CORRE SEMPRE PIÙ VELOCE! AL CONTATTO CON UN CESPUGLIO
ANCORA BAGNATO DI PIOGGIA, I NODI TRA LE DITA DI MERIDA
SEMBRANO SCIOGLIERSI UN PO'.

POI LA PRINCIPESSA SCORGE DELLE VECCHIE BRIGLIE DI ANGUS
DA TEMPO ABBANDONATE SU UN ALBERO. CERCA DI AFFERRARLE
MA... NON CI RIESCE. "ANGUS! AIUTAMI, PRENDILE!" GRIDA
INDICANDO COME PUÒ.
IL LIMITARE DELLA SCOGLIERA È A POCHI METRI, ORMAI, LEI E IL
LEGGENDARIO ANIMALE FINIRANNO PER PRECIPITARE NEL VUOTO!
MA ANGUS, HA COMPRESO IL DA FARSI: CON UN BALZO PRENDE
TRA I DENTI LE SUE VECCHIE BRIGLIE E SUBITO LE GETTA
A MERIDA. LEI, PUR AVENDO UN POLSO ANCORA BLOCCATO,
RIESCE A BARDARE L'ANIMALE SELVATICO.

IL DESTRIERO, SOTTO LA GUIDA DI MERIDA IMBOCCA UN SENTIERO
CHE CONDUCE IN RIVA AL LAGO E SI FERMA. LA PRINCIPESSA
SCENDE IMMEDIATAMENTE A TERRA E SUBITO TOGLIE LE BRIGLIE
DAL MUSO DELL'ANIMALE, CHE FUGGE VIA COME IL VENTO.
SEMBRA QUASI DI VEDERLO GALOPPARE SULL'ACQUA!
MERIDA ASSISTE ALLA SCENA CON IMMENSO STUPORE.
UNA VOLTA TORNATA ALLA STALLA, LA PRINCIPESSA RIPRENDE
LA LETTURA DA DOVE L'AVEVA LASCIATA. "SE RIUSCIRETE A METTERE
LE BRIGLIE A UN KELPIE, VI SARÀ FEDELE E SOTTOMESSO," LEGGE
AD ANGUS. "OGGI NON SEMBRAVA, PERÒ… DOMANI CHISSÀ!"

INSIDE OUT

Disney · PIXAR

Capricci in agguato

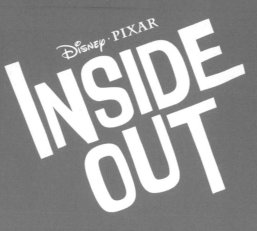

UN SABATO MATTINA, RILEY SCENDE IN CUCINA PER FARE
COLAZIONE. "BUONGIORNO, TESORO!" LE DICE SUA MADRE.
"VOLEVO AVVISARTI CHE TRA POCO ARRIVERÀ LA SIGNORA DAS,
LA GIARDINIERA. MI AIUTERÀ A SISTEMARE IL PRATO E LE AIUOLE.
SOLO CHE… LE HO PROMESSO CHE, NEL FRATTEMPO, TU FARAI
UN PO' DI COMPAGNIA A SUO FIGLIO, IL PICCOLO DEVAN."
RILEY NON SEMBRA ENTUSIASTA DELLA PROSPETTIVA,
PERÒ ACCETTA, GIUSTO PER FARE UN PIACERE ALLA MAMMA.
MA CON L'ARRIVO DEL BAMBINO… INIZIANO I GUAI.

IL FIGLIO DELLA GIARDINIERA SI RIVELA SUBITO MOLTO CAPRICCIOSO. E, NOTANDO DEI MUFFIN SOPRA UN VASSOIO, PRETENDE DI FARNE UNA SCORPACCIATA. "SONO PER UNA MIA AMICA, GLIELI HO PROMESSI!" RIBATTE RILEY.

COME SE NON AVESSE SENTITO, IL RAGAZZINO SI AVVENTA COMUNQUE SUI DOLCETTI E NE PRENDE UNO.

RILEY, IRRITATA, CERCA DI DISTRARLO, MA È INUTILE: DEVAN INIZIA A PESTARE I PIEDI PER TERRA.

NELLA MENTE DI RILEY, RABBIA PRENDE IL SOPRAVVENTO. "CI PENSO IO!" STRILLA L'EMOZIONE NERVOSA. GIOIA È NEL PANICO TOTALE.

POI RILEY HA UN'INTUIZIONE E INIZIA A RACCONTARE UNA STORIA.
IL BIMBO, DI COLPO, SMETTE DI URLARE E SI METTE IN ASCOLTO.
"CERA UNA VOLTA, UNA BAMBINA CHE VOLEVA PATTINARE
SUL GHIACCIO," DICE RILEY. "MA, NONOSTANTE MOLTE PROVE,
NON CI RIUSCIVA! CONTINUAVA A CADERE… PERCIÒ, STRILLAVA
E PIANGEVA SEMPRE PIÙ FORTE. E PER QUANTO SI ARRABBIASSE
NON C'ERA NIENTE CHE POTESSE MIGLIORARE LA SUA SITUAZIONE."
"E ALLORA?" CHIEDE DEVAN CURIOSO.
"ALLORA, QUELLA BAMBINA COMINCIÒ A CONCENTRARSI
SU PENSIERI POSITIVI. E SI CONVINSE CHE CON UN PO' DI BUONA
VOLONTÀ E UN SORRISO FORSE CE L'AVREBBE FATTA."

DEVAN RIMANE MOLTO COLPITO DAL RACCONTO! ANCHE LUI
SI STIZZISCE QUANDO NON OTTIENE CIÒ CHE VUOLE!
DIMENTICANDO I CAPRICCI, PRENDE DEI PUPAZZI CHE RILEY
GLI PORGE E CREA UNA BELLA SCENETTA.
AL QUARTIER GENERALE, NELLA MENTE DI RILEY, SONO TUTTI
SOLLEVATI.
"OTTIMO LAVORO!" OSSERVA FELICE GIOIA. "GRANDE IDEA
QUELLA DELLA STORIA E DEI PUPAZZI!"

Il gioiello del Bayou

TRA POCHISSIMI GIORNI SARÀ IL COMPLEANNO DI TIANA! AL PRINCIPE NAVEEN QUESTA FESTA IMMINENTE PREOCCUPA MOLTO: VORREBBE TROVARE IL REGALO PERFETTO PER LA SUA AMATA, MA… SEMBRA UN'IMPRESA DAVVERO DIFFICILE! PASSANDO PER LA CUCINA DEL RISTORANTE, SENZA VOLERE, SENTE UNA CONVERSAZIONE TRA TIANA E CHARLOTTE.

"SAI, QUANDO ERO PICCOLA," DICE TIANA COMMOSSA, "CON MIO PADRE ANDAVAMO NEL BAYOU A PESCARE L'AMBRA DELLE PALUDI…"

ARRIVA IL GIORNO DELLA FESTA E TIANA COMINCIA AD AGITARSI:
NAVEEN NON SI TROVA DA NESSUNA PARTE! FINALMENTE QUALCUNO
LE DICE CHE IL SUO PRINCIPE È NEL BAYOU, AI PIEDI DEL VECCHIO
ALBERO. E IN EFFETTI LO TROVA LAGGIÙ, CHE SI TUFFA NELL'ACQUA
SCURA. C'È ANCHE LOUIS, PROBABILMENTE LO HA ACCOMPAGNATO.
SENZA ESITARE, ANCHE TIANA SI GETTA NELL'ACQUA.

NAVEEN È INTRAPPOLATO TRA LE RADICI DELLA VEGETAZIONE ACQUATICA! MA TIANA, ESPERTA DEI LUOGHI, LO LIBERA E LO TRASCINA IN SUPERFICIE.

POI NAVEEN PORGE LA MANO ALLA SUA PRINCIPESSA E LE MOSTRA QUALCOSA. "CREDO CHE QUESTO TI PIACERÀ…"

TIANA SI STUPISCE: "L'AMBRA DELLE PALUDI!" STRILLA SORPRESA.

MAMA ODIE, AL RISTORANTE, IN ATTESA DI GUSTARE LE PRELIBATEZZE
DELLA SERATA, PRENDE IN CUSTODIA LA PIETRA APPENA RITROVATA.
"LASCIATE FARE A ME," DICE A TIANA E NAVEEN. "VORREI DARE
IL MIO CONTRIBUTO."
QUANDO I DUE SPOSI TORNANO IN SALA, L'AMICA RESTITUISCE LORO
L'AMBRA INCASTONATA IN UNA SPLENDIDA MONTATURA.
"BELLISSIMO! COME HAI FATTO?" CHIEDE NAVEEN.
"SAI," RISPONDE LA DONNA. "È STATO FACILE… COME TRASFORMARE
UN RANOCCHIO… IN UN PRINCIPE!"

La Bella Addormentata nel Bosco

Il piccolo drago

IN UNA TIEPIDA GIORNATA AUTUNNALE, LA PRINCIPESSA AURORA E IL PRINCIPE FILIPPO PASSEGGIANO A CAVALLO NELLA FORESTA CHE CIRCONDA IL CASTELLO. ALL'IMPROVVISO, UN PICCOLO DRAGO TAGLIA LORO LA STRADA. "NON AVVICINARTI, I DRAGHI POSSONO ESSERE PERICOLOSI!" L'AVVERTE FILIPPO.

IL MAGICO ANIMALETTO SCUOTE LA TESTA TENERAMENTE.

"COM'È CARINO!" ESCLAMA LA PRINCIPESSA. "PORTIAMOLO CON NOI A PALAZZO. LO CHIAMERÒ CRACKLE!"

NEL CORTILE, INTANTO, LE TRE FATE, FLORA, FAUNA E SERENA, SONO OCCUPATE AD APPENDERE DEGLI ADDOBBI PER IL BALLO.

AURORA È FELICE PERCHÉ I SUOI GENITORI, LA REGINA LEAH E RE
STEFANO, PARTECIPERANNO ALLA FESTA.
SUBITO FLORA SI ACCORGE DI CRACKLE E SI METTE A GRIDARE!
SPAVENTATO, IL CUCCIOLO FUGGE VIA OLTRE IL GIARDINO.
AURORA LO RAGGIUNGE, IL PICCOLO STA PIANGENDO.
"PENSI CHE NESSUNO TI VOGLIA BENE?" GLI CHIEDE AURORA.
"ALLORA, DIMOSTRA A TUTTI CHE UN DRAGHETTO COME TE
PUÒ ESSERE GENTILE E GENEROSO!"

POI SI SENTE FORTE E CHIARO IL PODEROSO ROMBO DI UN TUONO. D'IMPROVVISO, GRANDI NUVOLE MINACCIOSE NASCONDONO IL SOLE.

TUTTI SI SONO RIUNITI PER GUARDARE LA SPETTACOLARE TEMPESTA. IL CIELO È SQUARCIATO DAI FULMINI E LA PIOGGIA SCENDE SENZA TREGUA.

"SONO PREOCCUPATO, TEMO CHE RE STEFANO E LA REGINA LEAH SI SMARRISCANO LUNGO LA STRADA DEL RITORNO," DICE FILIPPO. IN EFFETTI, TUTT'INTORNO È QUASI BUIO.

PER CRACKLE È UN'OCCASIONE IMPERDIBILE.

"VOLA FINO ALLA CIMA DELLA TORRE PIÙ ALTA," GLI DICE AURORA.

"POI SOFFIA LA PIÙ POTENTE DELLE TUE FIAMME!"

IL CIELO SI ILLUMINA DI UN BAGLIORE STRAORDINARIO, COSÌ

I GENITORI DI AURORA POSSONO RITROVARE LA STRADA!

ALLA FESTA, CRACKLE NON SMETTE DI RISCALDARE IL CIBO

O RAVVIVARE IL CAMINETTO.

GRAZIE AL PICCOLO EROE, ANCHE SE FUORI INFURIA LA TEMPESTA,

TUTTI GLI OSPITI SONO AL CALDUCCIO!

ALLA RICERCA DI NEMO

La storia del film

MARLIN E CORAL, UNA COPPIA DI PESCI PAGLIACCIO, VIVONO IN UN CONFORTEVOLE ANEMONE NELLA BARRIERA CORALLINA DELL'OCEANO PACIFICO. SONO FELICI, STANNO PER DIVENTARE GENITORI! PURTROPPO, PERÒ, UN FEROCE BARRACUDA ASSALE CORAL E DIVORA LE UOVA CHE HA APPENA DEPOSTO. MARLIN TENTA UN SALVATAGGIO MA, CERCANDO DI DIFENDERE LA SUA COMPAGNA, VIENE COLPITO E SVIENE. APPENA SI RIPRENDE, SCOPRE CHE È SOPRAVVISSUTO SOLO UN UOVO; DA QUESTO, POCO TEMPO DOPO, NASCE IL VIVACE E CURIOSO NEMO, UN PESCIOLINO CON UNA PINNA PICCINA…

UNA MATTINA, NEMO E I SUOI AMICI, DECIDONO DI DARE
UN'OCCHIATA A UN MOTOSCAFO CHE NAVIGA SOPRA DI LORO.
"TORNA SUBITO QUI!" CHIAMA MARLIN. "È PERICOLOSO!"
MA IL SUO FIGLIOLETTO È PARECCHIO TESTARDO, NON GLI VA
PROPRIO DI OBBEDIRE! COSÌ, SI AVVICINA UN PO' TROPPO
A QUELL'IMBARCAZIONE E, IN MEN CHE NON SI DICA,
VIENE CATTURATO DAGLI UOMINI CHE LA CONDUCONO.
PREOCCUPATISSIMO, MARLIN SI METTE ALL'INSEGUIMENTO E,
DURANTE IL PERCORSO, S'IMBATTE IN DORY, UNA PESCIOLINA
CHIRURGO BLU CON QUALCHE PROBLEMINO DI MEMORIA...
"VENGO CON TE!" DICE LEI.

NEMO FINISCE IN AUSTRALIA, A SIDNEY, NELL'ACQUARIO DI
UNO STUDIO DENTISTICO. LÌ FA AMICIZIA CON ALTRI PESCI E…
AMILCARE, UN PELLICANO CHE DI TANTO IN TANTO SI AFFACCIA
ALLA FINESTRA. CON UN BRIVIDO, IL PICCOLO NEMO SCOPRE
CHE PRESTO SARÀ REGALATO A DARLA, LA TERRIBILE NIPOTINA
DEL DENTISTA, TUTT'ALTRO CHE GENTILE CON GLI ANIMALI.
MARLIN E DORY, INTANTO, CONTINUANO A CERCARE NEMO.
DOPO MOLTISSIME PERIPEZIE, VENGONO INGHIOTTITI DA UNA
BALENA. PER FORTUNA QUESTA, CON UN GRAN SOSPIRO,
LI SPUTA FUORI, PROPRIO… NEL PORTO DI SIDNEY.

CHE COMBINAZIONE! AL PORTO, MARLIN E DORY INCONTRANO
AMILCARE: "TU SEI IL PADRE DI NEMO?" SI STUPISCE IL PELLICANO.
E, RACCOGLIENDO I DUE NEL BECCO, VOLA ALLA FINESTRA DELLO
STUDIO DEL DENTISTA. LÌ, VEDONO CHE NEMO STA PER ESSERE
CONSEGNATO A DARLA! IL FURBETTO, PERÒ, NEL SACCHETTO
DI PLASTICA OVE È STATO RIPOSTO, SI FINGE MORTO E COSÌ…
FINISCE NELLO SCARICO DEL LAVANDINO! NEMO RIESCE A
SVIGNARSELA ATTRAVERSO LE TUBATURE CHE CONDUCONO
ALL'OCEANO. MA ANCHE MARLIN E DORY HANNO ASSISTITO
ALLA SCENA E CREDONO CHE NEMO SIA MORTO!

SCONSOLATI, CHIEDONO AD AMILCARE DI RIPORTARLI NELLE
ACQUE DELL'OCEANO. MARLIN È AFFRANTO E SI ALLONTANA DA
SOLO. DORY, RIMASTA INDIETRO E ANCHE UN PO' CONFUSA DAI
SUOI PROBLEMI DI MEMORIA, INDIVIDUA NEMO NEL BEL MEZZO
DI UN BANCO DI PESCI. NON RESTA CHE NUOTARE DI GRAN
FRETTA E RAGGIUNGERE MARLIN! E FINALMENTE, PADRE E FIGLIO
POSSONO RIABBRACCIARSI. TUTTI I PESCI INCONTRATI DURANTE
QUELL'INCREDIBILE VIAGGIO FESTEGGIANO. LA RICERCA DI NEMO
HA DATO QUALCHE BATTICUORE, MA HA ANCHE DONATO TANTI
NUOVI E VALOROSI AMICI!

Disney PRINCESS

La Bella e la Bestia

La perla ritrovata

BELLE VIVE NEL CASTELLO DELLA BESTIA DA UN PO' DI TEMPO, ORMAI. QUEL DOLCE POMERIGGIO, LUI DECIDE DI FARLE UNA PARTICOLARE GENTILEZZA. "LA BIBLIOTECA È TUA…" LE DICE CON LA VOCE PIÙ MORBIDA DI CUI È CAPACE.

BELLE È FELICE, ADORA TRASCORRERE LE ORE A LEGGERE DAVANTI AL CAMINO ACCESO.

QUALCHE GIORNO PIÙ TARDI, CHICCO, LA TAZZINA, NOTA UN LIBRO ABBANDONATO SU UNA POLTRONA.

"È IL PREFERITO DEL MIO PADRONE!" RIVELA.

BELLE VUOLE OSSERVARLO PIÙ DA VICINO: "SEMBRA CHE DALLA CHIUSURA MANCHI UNA PERLA," DICE.

CHICCO, IL CURIOSONE, POCO DOPO NOTA SUL PAVIMENTO
PROPRIO LA PERLA MANCANTE. BELLE LA RACCOGLIE E CERCA
DI RIMETTERLA SUBITO SULLA FIBBIA DI CHIUSURA MA…
"CI VUOLE DELLA COLLA, PROVERÒ A CERCANE UN PO'
IN CUCINA," SUSSURRA. POI HA UN'IDEA: "FARÒ UNA SORPRESA
ALLA BESTIA! RIMETTERÒ A NUOVO IL SUO LIBRO PREFERITO!"
CON DELICATEZZA, LUCIDA LA COPERTINA DI PELLE, STENDE
LE PAGINE STROPICCIATE CON PAZIENZA E UN PANNO CALDO,
AGGIUSTA IL FERMAGLIO CHE SEMBRA NON TENERE PIÙ.
INTANTO LA BESTIA RIENTRA A CASA…

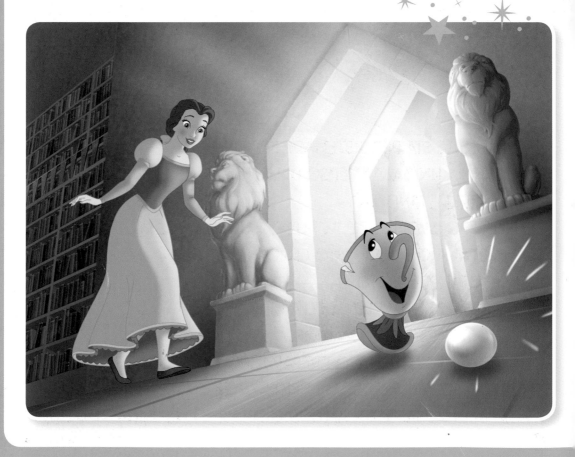

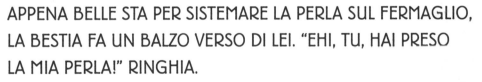

APPENA BELLE STA PER SISTEMARE LA PERLA SUL FERMAGLIO,
LA BESTIA FA UN BALZO VERSO DI LEI. "EHI, TU, HAI PRESO
LA MIA PERLA!" RINGHIA.
BELLE UN PO' SI OFFENDE: "VOLEVO FARTI UNA SORPRESA,"
SI AFFRETTA A CHIARIRE. "STO CERCANDO SI AGGIUSTARE
IL TUO LIBRO PREFERITO."
LA SMORFIA CONTRARIATA DELLA BESTIA LASCIA ALLORA
IL POSTO A UN SORRISO RADIOSO.
"OH, BELLE, ANCH'IO STAVO PREPARANDO UNA SORPRESA PER TE!
TI CHIEDO SCUSA!" E SUBITO LE MOSTRA UNA MAGNIFICA SPILLA
A FORMA DI ROSA. "È UN ANTICO GIOIELLO DI FAMIGLIA," DICE.

SUL GAMBO DI QUELLA ROSA SPLENDENTE SI NOTA UNO SPAZIO
ADATTO A OSPITARE LA PERLA. LA BESTIA VE LA INCASTONA CON
CURA. "L'AVEVO RIMOSSA DALLA CHIUSURA DEL MIO LIBRO PER
ABBELLIRE QUESTO GIOIELLO MA… MI È CADUTA E NON RIUSCIVO
PIÙ A TROVARLA," CONFESSA LUI.
"OH, CHE PENSIERO GENTILE," OSSERVA BELLE. "TI HO ROVINATO
LA SORPRESA!"
LA BESTIA SOSPIRA: "MA NO, ANZI, TU TI SEI PRESA CURA DEL MIO
LIBRO… GRAZIE."
BELLE E LA BESTIA DEVONO IMPARARE A CONOSCERSI MEGLIO.
È CERTO, PERÒ, CHE OGNUNO VOGLIA SOLO LA FELICITÀ DELL'ALTRO.

COCO

La storia del film

NELLA CITTADINA MESSICANA DI SANTA CECILIA VIVE MIGUEL, UN SIMPATICO DODICENNE CON LA PASSIONE PER LA MUSICA. HA IMPARATO A SUONARE LA CHITARRA DI NASCOSTO. PER ESERCITARSI, GUARDA I FILM DEL SUO IDOLO, IL CANTANTE ERNESTO DE LA CRUZ. SOLO L'AMICO DANTE, UN CANE DA STRADA, CONOSCE IL SUO SEGRETO. INFATTI, IN FAMIGLIA, MIGUEL NON PUÒ PARLARE DELLA SUA GRANDE PASSIONE. LA MUSICA È SUPER VIETATA, SPECIE DA SUA NONNA ABUELITA. QUESTA AVVERSIONE È DOVUTA AL FATTO CHE LA TRISNONNA DEL RAGAZZO, IMELDA, VENNE ABBANDONATA CON LA FIGLIA COCO DAL MARITO MUSICISTA.

COCO, È LA BISNONNA DI MIGUEL E TRA I DUE C'È UN AFFETTO
PROFONDO. LEI È L'UNICA CHE LO CAPISCE!
DURANTE LA FESTA DEI DEFUNTI, MIGUEL AIUTA ABUELITA
A DECORARE L'ALTARINO DEDICATO AI PARENTI SCOMPARSI...
MA, INAVVERTITAMENTE, FA CADERE IL RITRATTO
DI IMELDA E DEL MARITO IL CUI VOLTO È STATO STRAPPATO.
CON GRANDE SORPRESA, MIGUEL NOTA CHE NELLA FOTO È
RAFFIGURATA ANCHE LA CHITARRA DI ERNESTO. MIGUEL ORA
È CONVINTO DI ESSERE UN DISCENDENTE DEL SUO IDOLO.

MIGUEL VUOLE PARTECIPARE A UNA GARA DI MUSICA, MA APPENA
ABUELITA LO SCOPRE, S'INFURIA E FA A PEZZI LA SUA AMATA
CHITARRA. AVVILITO, IL RAGAZZO CORRE SULLA TOMBA
DI ERNESTO DE LA CRUZ: VUOLE IMPOSSESSARSI DELLA SUA
CHITARRA, È UN CIMELIO! MA APPENA LA SUONA…
SI RITROVA IN UN'ALTRA DIMENSIONE IN CUI È VISIBILE SOLO
AI DEFUNTI! E COSÌ INCONTRA I SUOI ANTENATI.
PER TORNARE NEL MONDO DEI VIVI, A MIGUEL SERVE
LA BENEDIZIONE DI UN PARENTE. LA TRISNONNA IMELDA
È DISPOSTA AD AIUTARLO, PURCHÉ SMETTA PER SEMPRE
DI SUONARE! LUI SI RIFIUTA E FUGGE VIA.

DURANTE LA FUGA, MIGUEL INCONTRA HÉCTOR, UN MUSICISTA
CHE CONOSCE ERNESTO. SE MIGUEL OTTERRÀ LA BENEDIZIONE
DEL FAMOSO CANTANTE, VISTO CHE PROBABILMENTE È UN SUO
PARENTE, POTRÀ TORNARE TRA I VIVI! MA APPENA HÉCTOR RIVEDE
ERNESTO, SI ARRABBIA: "SUONAVAMO INSIEME!" STRILLA.
"E QUANDO VOLEVO TORNARE DALLA MIA FAMIGLIA,
MI HAI AVVELENATO E DERUBATO DELLA MIA CHITARRA
E DELLE MIE CANZONI!"
DOPO LO SFOGO, HÉCTOR È AFFRANTO, PARLA DELLA FIGLIA COCO,
CHE DI CERTO LO HA DIMENTICATO.
MIGUEL ALLORA CAPISCE: "SEI TU IL PADRE DELLA MIA BISNONNA…"

HÉCTOR INCONTRA IMELDA, LA SUA AMATA SPOSA, E LE RACCONTA
DEL TERRIBILE INGANNO DI ERNESTO E LA DONNA, FINALMENTE,
DÀ LA SUA BENEDIZIONE A MIGUEL.
QUANDO IL RAGAZZO TORNA TRA I VIVI, SI PRECIPITA DALLA
BISNONNA COCO E LE SUONA UNA CANZONE CHE HÉCTOR AVEVA
COMPOSTO PER LEI. L'ANZIANA RICORDA IL PADRE CON TENEREZZA...
HÉCTOR, DALL'ALTRA DIMENSIONE, ORA È SERENO, È SICURO
DI POTER VIVERE PER SEMPRE NELLA MEMORIA DEI SUOI CARI.
TUTTA LA FAMIGLIA PENSA AL DEFUNTO CON AFFETTO E...
LA MUSICA PUÒ TORNARE A FARSI UDIRE TRA LE PARETI DI CASA.

Cenerentola

Cuor di campione

GRANDE NOTIZIA, OGGI, PER CENERENTOLA! È STATA SCELTA PER RAPPRESENTARE LA FAMIGLIA REALE ALLA PIÙ IMPORTANTE CORSA DI CAVALLI DEL REGNO.

IL GRANDUCA HA ORDINATO DI SELLARE TUTTI I DESTRIERI DELLE STALLE AFFINCHÉ LA PRINCIPESSA POSSA SCEGLIERE IL SUO FAVORITO. "A VOI L'ONORE, MAESTÀ," DICE POI SODDISFATTO.

CENERENTOLA SI AVVICINA A OGNI ANIMALE, MA… UNO È TROPPO GRANDE, UN ALTRO È TROPPO PICCOLO, UN ALTRO, ANCORA, TROPPO AGITATO, E COSÌ VIA. INSOMMA, PARE PROPRIO CHE NON CI SIA UN CAVALLO ADATTO A LEI.

ALLA PRINCIPESSA TORNA IN MENTE IL SUO VECCHIO CAVALLO:
RONZINO. "È FORTE!" AFFERMA CON SICUREZZA. "NON È PIÙ
GIOVANE, MA HA IL CUORE DI UN CAMPIONE!"
RONZINO VIENE RINTRACCIATO DIETRO LE SCUDERIE E
CENERENTOLA, IMPAZIENTE, GLI MONTA IN SELLA. MA DOPO
POCHI PASSI, L'ANIMALE INCIAMPA CONTRO L'ABBEVERATOIO
E… *SPLASH!* LA PRINCIPESSA FINISCE IN ACQUA.
"FORSE SIAMO UN PO' FUORI ESERCIZIO," DICE LEI CON
UN SORRISO. DA QUEL MOMENTO SCATTANO LUNGHE GIORNATE
DI ALLENAMENTO, PERÒ I RISULTATI TARDANO AD ARRIVARE.
NEL SALTO AGLI OSTACOLI IL CAVALLO È UN DISASTRO!

ALLA VIGILIA DELLA GARA, LA FATA SMEMORINA, MOSSA
A COMPASSIONE, DECIDE CHE UN PIZZICO DI MAGIA PUÒ ESSERE
UTILE. "NOI SAPPIAMO CHE RONZINO È IN GRADO DI VINCERE,
MA È LUI CHE NON LO SA! DEVE ACQUISIRE UN PO' PIÙ DI FIDUCIA
IN SE STESSO!" DICE LA FATA. "BIBIDI BOBIDI BÙ!" AGITANDO
LA SUA BACCHETTA.
IL CAVALLO SI MOSTRA PIÙ ELEGANTE, IL PELO È LISCIO E I SUOI
ZOCCOLI SONO FERRATI E SPLENDENTI.
SULLA SUA SCHIENA, APPARE UNA SELLA IN PELLE DORATA.
PER COMPLETARE L'OPERA, CENERENTOLA INDOSSA UNA BELLA
TENUTA DA CAVALLERIZZA.

E LA CORSA HA INIZIO! IL COMPORTAMENTO DI RONZINO È IMPECCABILE: SALTA OGNI OSTACOLO CON DISINVOLTURA, CORRE VELOCE COME NON MAI E DIMOSTRA STRAORDINARIA AGILITÀ.

LA FOLLA APPLAUDE. MA LA COSA CHE RONZINO NON SA È CHE… I SUOI ZOCCOLI, COSÌ BEN FERRATI, NON SONO AFFATTO MAGICI! IL RISULTATO DI QUELLA PROVA TANTO PERFETTA È FRUTTO DI UNA FIDUCIA RITROVATA!

"IL PRIMO PREMIO VA A RONZINO E CENERENTOLA!" DICHIARA IL GIUDICE DI GARA.

CENERENTOLA ABBRACCIA IL SUO CAVALLO: "TU SEI VALOROSO, AMICO MIO, DOVEVI SOLTANTO SCOPRIRLO…"

Trilli

Il segreto delle ali

OGNI FATA LO SA: ATTRAVERSARE LA FRONTIERA, CIOÈ IL LUOGO DOVE LE STAGIONI CALDE INCONTRANO LE FREDDE, È VIETATO! LE ALI DELLE FATE DELLA PRIMAVERA GELEREBBERO E, VICEVERSA, LE ALI DELLE FATE DELL'INVERNO SI SCIOGLIEREBBERO! TUTTAVIA, UN GIORNO, TRILLI, CURIOSA, VARCA LA FRONTIERA E SI RECA NEL REGNO DELL'INVERNO. D'IMPROVVISO LE SUE ALI S'ILLUMINANO…
"CIAO, IO SONO PERVINCA," DICE UNA FATINA CHE LE VOLA INCONTRO. LE LORO ALI SONO IDENTICHE!
IL CUSTODE DEL SAPERE, CHE VIVE LAGGIÙ, SPIEGA: "SIETE SORELLE! SIETE NATE DALLA RISATA DELLO STESSO BAMBINO!"

PERVINCA MOSTRA A TRILLI QUALCHE PRODIGIO INVERNALE,
POI DEVE SALUTARLA, TRILLI NON PUÒ FERMARSI A LUNGO!
ORMAI, PER LE DUE FATINE, STARE SEPARATE È DIFFICILE, COSÌ
È DECISO: PERVINCA FARÀ UN SALTO NEL LUOGO IN CUI VIVE
LA SORELLA. QUEST'ULTIMA, GRANDE INVENTRICE, METTE A PUNTO
UN GENERATORE DI NEVE, È UNA MACCHINA ANTI-CALDO!
MA NONOSTANTE QUESTA TROVATA, LE ALI DI PERVINCA NON
SOPPORTANO LE ALTE TEMPERATURE.
"ADORO TE E I TUOI AMICI," DICE PERVINCA SCONSOLATA
"MA DEVO ANDARMENE..." TRILLI È COSÌ COSTRETTA
A RIACCOMPAGNARLA ALLA FRONTIERA.

LE ALTRE FATE, PREOCCUPATE, AVVISANO REGINA CLARION
CHE… SUBITO SI PRECIPITA ALLA FRONTIERA. "SE CONTINUERETE
A FREQUENTARVI, METTERETE IN PERICOLO LE VOSTRE ALI!" AVVERTE
L'ADDIO TRA LE DUE SORELLINE È MOLTO TRISTE…
INTANTO, MILORI, IL SIGNORE DELL'INVERNO, ASPETTA PERVINCA
SUL TERRITORIO DI GHIACCIO E GUARDA VERSO CLARION, MESTO.
TORNANDO VERSO CASA LA REGINA SI CONFIDA.
"I NOSTRI MONDI SONO INCOMPATIBILI, LO SO BENE. MILORI E IO
ERAVAMO INNAMORATI. POI LE SUE ALI SI SONO SPEZZATE A CAUSA
DEL CALDO…"

INTANTO, IL GENERATORE DI NEVE INVENTATO DA TRILLI,
NONOSTANTE SIA STATO BUTTATO NEL FIUME
CON L'INTENTO DI DISTRUGGERLO... CONTINUA
A PRODURRE NEVE E GHIACCIO. E PIAN PIANO
SI CREA UNA GELATA CHE INVERTE L'EQUILIBRIO
DELLE STAGIONI. L'ALBERO DELLA POLVERE MAGICA
SI STA AFFATICANDO E FORSE SI FERMERÀ!
TRILLI CHIEDE UN PARERE AL CUSTODE DEL SAPERE.
"VEDI IL FIORE DI PERVINCA?" DICE LUI.
"RESTA SEMPRE VIVO PERCHÉ LA BRINA LO PROTEGGE,
È COME UNA COPERTA CHE MANTIENE ALL'INTERNO
LA GIUSTA TEMPERATURA!"

CON L'AIUTO DI MILORI, TRILLI RIESCE A SALVARE L'ALBERO
DELLA POLVERE MAGICA RICOPRENDOLO DI BRINA. FUNZIONA!
MA… UN'ALA DI TRILLI SI SPEZZA.
PERVINCA CORRE A CONSOLARLA. LE DUE, NEL SALUTARSI,
UNISCONO LE LORO ALI E, VISTO CHE SONO IDENTICHE,
SCOPRONO CHE L'UNA RIGENERA L'ALTRA!
IN UN LAMPO DI LUCE, L'ALA DI TRILLI SI RIPARA.
ECCO LA SOLUZIONE: SE LE ALI DELLE FATE DELLE STAGIONI CALDE
SONO COPERTE DI BRINA… SI MANTENGONO INTATTE.
BASTERÀ INDOSSARE QUALCHE CAPO BEN CALDO E LE VISITE
NEL REGNO DELL'INVERNO POTRANNO CONTINUARE!

LA SIRENETTA

Il passaggio delle balene

FIN DALLE PRIME ORE DEL MATTINO ARIEL È TUTTA EMOZIONATA, SA CHE NON MANCA MOLTO AL PASSAGGIO DI UN GRUPPO DI BALENE. È UN AVVENIMENTO CHE NON VUOLE PERDERE PER ALCUN MOTIVO! SOLO CHE… NON VORREBBE PORTARSI DIETRO FLOUNDER, QUEL SUPER FIFONE HA PAURA DI QUEI GIGANTI DEL MARE! "DOVE VAI?" LE CHIEDE IL PESCIOLINO.
"A NUOTARE IN GIRO, SENZA UN VERO PERCHÉ!" RISPONDE LEI, EVASIVA. E TRA UNA CAPRIOLA ACQUATICA E L'ALTRA, ARIEL E FLOUNDER PASSANO DALLA ZONA DEGLI ORCHESTRALI.
"VOLETE FARE UNA CANTATINA CON NOI?" DOMANDA SEBASTIAN.

ARIEL SI SAREBBE FERMATA VOLENTIERI A INTONARE UN PAIO
DI CANZONI MA… NON VUOLE PROPRIO PERDERE L'OCCASIONE
DI AMMIRARE LE BALENE! INTANTO, FLOUNDER CONTINUA
A SEGUIRLA. L'AMICO LE TROTTERELLA DIETRO LAMENTANDOSI.
"MA DOVE VAI, SI PUÒ SAPERE? DIETRO QUELLA ROCCIA CI SONO
SEMPRE DELLE GROSSE MEDUSE!" RIPETE ANSIOSO.
"ASCOLTAMI, ANDIAMOCENE!" ESCLAMA A UN CERTO PUNTO.
ARIEL FINGE DI NON SENTIRLO.

"MA DA CHE PARTE ARRIVERANNO LE BALENE?" SUSSURRA ARIEL
A UN CERTO PUNTO. SOLO CHE, PER QUANTO ABBIA PARLATO
A BASSA VOCE, FLOUNDER LA SENTE. "COOOSA?" ESCLAMA
IMPAURITO. "VUOI DAVVERO VEDERE QUEI GIGANTI SPAVENTOSI?"
ARIEL, QUESTA VOLTA, È DAVVERO SECCATA.
"SMETTILA!" STRILLA. "CHE COSA VUOI CHE CI FACCIANO!
LE BALENE SONO NOSTRE AMICHE!"
FLOUNDER È OFFESO E CON DUE COLPI DI PINNA SI ALLONTANA
MA, D'UN TRATTO, NEL MARE ESPLODE UN'ENORME NUVOLA
DI BOLLE: STANNO PASSANDO UNA BALENA E IL SUO PICCOLO!

FLOUNDER VEDENDO IL BALENOTTERO S'INTENERISCE. "CHE BEL CUCCIOLO!" OSSERVA AD ALTA VOCE.

ARIEL SI È PENTITA DI ESSERE STATA SGARBATA. "SCUSAMI, FLOUNDER, HAI IL DIRITTO DI AVERE PAURA!" DICE.

I DUE AMICI SI STRINGONO L'UNO ALL'ALTRA E, RAPITI, ASCOLTANO LA BELLISSIMA MELODIA INTONATA DA MAMMA BALENA.

POI, I CETACEI SI ALLONTANANO SALUTANDO I DUE SPETTATORI CON QUALCHE SPRUZZO D'ACQUA.

"CHE ESPERIENZA INDIMENTICABILE," MORMORA ARIEL.

"HAI RAGIONE!" RISPONDE FLOUNDER, CON ARIA… CORAGGIOSA!

DISNEY
OCEANIA

Heihei e il salvataggio di Pua

È UNA MAGNIFICA MATTINATA DI SOLE A MOTUNUI. GLI ABITANTI
DEL VILLAGGIO SI STANNO PREPARANDO PER LA FESTA
DI PRIMAVERA. SULLA SPIAGGIA, VAIANA E NONNA TALA, INSIEME
A PUA IL MAIALINO E HEIHÈI IL GALLETTO, STANNO RACCOGLIENDO
DELLE CONCHIGLIE. "QUESTA È PERFETTA!" OSSERVA VAIANA.
"È IL CIONDOLO IDEALE PER IL BRACCIALETTO CHE VOGLIO
REGALARE A PAPÀ!"
INTANTO, IL GALLETTO, SVAMPITO COME SEMPRE, PER UN SOFFIO
NON FINISCE TRA LE ONDE DELL'OCEANO. POI, BECCHETTANDO DI
QUA E DI LÀ… ZAMPETTA FINO AL LUOGO IN CUI SI FA COLAZIONE.

"SCIÒ-SCIÒ!" STRILLANO I CUOCHI AL GALLETTO IMPICCIONE.
E QUESTI, NEL FUGGIRE, BUTTA PER TERRA UNO SGABELLO E DEI
COCCHI. NEL FRATTEMPO, SOPRAGGIUNGE TAI, IL PADRE DI VAIANA
E LEI, IN TUTTA FRETTA, NASCONDE IL BRACCIALETTO PREPARATO
PER LUI: NON VUOLE ROVINARGLI LA SORPRESA! TUTTAVIA, QUEL
GESTO REPENTINO DELLA NIPOTE FA SUSSULTARE NONNA TALA.
INAVVERTITAMENTE LA DONNA METTE UN PIEDE SUI COCCHI
FATTI CADERE DA HEIHEI E… PERDE L'EQUILIBRIO.

NEL SOCCORRERE LA NONNA, A VAIANA SCIVOLA DALLE MANI
IL BRACCIALETTO. "OH, NO! HO PERSO LA SORPRESA PER PAPÀ!"
ESCLAMA LA RAGAZZA DISPIACIUTA. NON SI È ACCORTA CHE
IL GIOIELLO È SCIVOLATO PROPRIO INTORNO AL COLLO DI HEIHEI,
CHE PERÒ… SI METTE A CORRERE DAPPERTUTTO! E MENTRE LE DUE
DONNE CERCANO OVUNQUE, IL GALLETTO FINISCE RINCHIUSO
NELLA CESTA DELLA FRUTTA. MA PUA IL MAIALINO HA VISTO TUTTO,
SA BENISSIMO DOV'È ANDATO FINIRE HEIHEI INSIEME AL PREZIOSO
DONO PER TAI…

L'INTELLIGENTE MAIALINO HA UN'IDEA: AVVOLGE UNA LIANA
INTORNO AL COPERCHIO DELLA CESTA OVE È RINCHIUSO HEIHEI.
POI, AFFERRANDO CON LA BOCCA LA CIMA, COMPIE UN GRAN
SALTO VERSO IL RAMO DI UN ALBERO. LA CESTA DONDOLA
NEL VUOTO, PUA DÀ UNO STRATTONE ALLA LIANA E IL COPERCHIO
RICADE AL SUOLO LIBERANDO IL GALLETTO.
"BRAVO PUA! HAI RITROVATO IL BRACCIALETTO E SALVATO HEIHEI!"
ESCLAMA VAIANA. A SERA, LA FESTA SOTTO LE STELLE È MAGICA.
E TAI ABBRACCIA SUA FIGLIA, FELICE DEL SUO REGALO.

ALLA RICERCA DI DORY

La storia del film

UN ANNO DOPO IL SALVATAGGIO DI NEMO, DORY, CHE SOFFRE DI PERDITA DI MEMORIA A BREVE TERMINE, INIZIA A RICORDARE QUALCOSA DEL SUO PASSATO. LA PESCIOLINA È FELICE DI VIVERE CON MARLIN E NEMO, PERÒ… LE MANCANO I SUOI GENITORI E DESIDERA TANTO RITROVARLI. "IL GIOIELLO DI MORRO BAY, IN CALIFORNIA…" MORMORA. "PAPÀ E MAMMA SONO LAGGIÙ, SONO SICURA!" COSÌ, DORY CONVINCE MARLIN E NEMO A METTERSI IN VIAGGIO. I TRE ATTRAVERSANO LA CORRENTE OCEANICA FINO A MORRO BAY, DOVE, SFORTUNATAMENTE, LA PESCIOLINA VIENE CATTURATA DA ALCUNI UMANI, CHE LE AGGANCIANO UNA CURIOSA TARGHETTA.

DORY SI RITROVA IN UNO STRANO ACQUARIO, DOVE UN POLPO
SI PRESENTA. "CIAO! SONO HANK!" LE DICE.
LEI GLI SPIEGA CHE STA CERCANDO IL GIOIELLO DI MORRO BAY.
"LO HAI TROVATO!" ESCLAMA LUI. "È COSÌ CHE VIENE CHIAMATO
QUESTO POSTO, CIOÈ L'ISTITUTO DI BIOLOGIA MARINA. MA
STANDO ALLA TUA TARGHETTA, PRESTO SARAI PORTATA IN UN
PARCO OCEANICO, PROPRIO DOVE VORREI ANDARE IO!"
COSÌ HANK PROPONE: "IN CAMBIO DI QUELLA TARGHETTA,
TI AIUTERÒ A RITROVARE I TUOI GENITORI." DORY ACCETTA
E IL POLPO L'ACCOMPAGNA A VISITARE L'ISTITUTO E LE PRESENTA
DESTINY, UNO SQUALO BALENA.

DESTINY È UN'AMICA D'INFANZIA DI DORY. "TU SEI CRESCIUTA
NELLA VASCA ALTO MARE!" LE RICORDA.
HANK PORTA DORY FINO A QUELLA SEZIONE DELL'ISTITUTO.
"ECCOTI ARRIVATA!" DICE. E, FACENDOSI CONSEGNARE
LA TARGHETTA, NUOTA VERSO LA ZONA DI PARTENZA
DEL CAMION DIRETTO AL PARCO OCEANICO.
INTANTO, NELLA VASCA ALTO MARE, DEI GRANCHI SPIEGANO A
DORY CHE, PER CONSUETUDINE, I PESCI CHIRURGO SONO SEMPRE
MESSI IN QUARANTENA. CHE I SUOI GENITORI SIANO ANCORA
LÀ? SENZA ESITARE, DORY SI LANCIA GIÙ PER LE TUBATURE
DELL'ISTITUTO E INCONTRA MARLIN E NEMO...

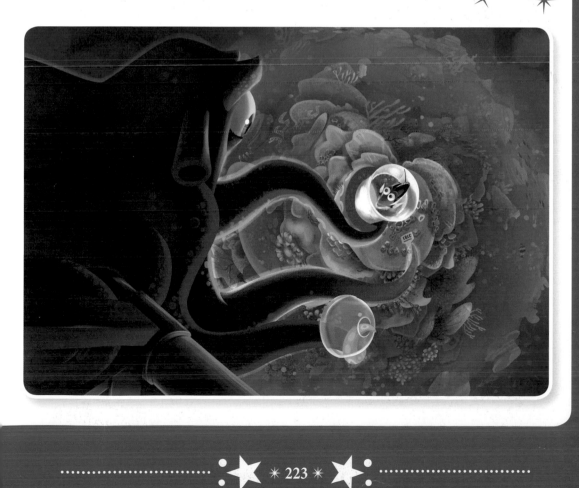

I TRE ARRIVANO AL REPARTO QUARANTENA E IN OGNI ACQUARIO
CERCANO I GENITORI DI DORY. MA… SONO SCOMPARSI! SEMBRA
ABBIANO LASCIATO L'ISTITUTO PER ANDARE A CERCARE LA LORO
FIGLIOLETTA. HANK, MOSSO A COMPASSIONE, RAGGIUNGE
GLI AMICI. "IL CAMION STA PER PARTIRE PER IL PARCO, I PESCI
CHIRURGO SONO LAGGIÙ!" STRILLA.
DORY, MARLIN E NEMO CERCANO DI ALLONTANARSI, MA UN TIZIO
SE NE ACCORGE. NELLA CONFUSIONE, DORY CADE IN UN CONDOTTO
CHE CONDUCE IN MARE APERTO. GIUNTA NEGLI ABISSI, SEGUE
UNA SCIA CHIARA E… RITROVA MAMMA E PAPÀ!

INTANTO, MARLIN E NEMO SONO SUL CAMION DIRETTO AL PARCO OCEANICO, MA DORY NON LI HA DIMENTICATI! "DESTINY!" CHIAMA. LO SQUALO BALENA ACCORRE E, CON UNA SERIE DI STRATAGEMMI, LANCIA DORY SUL CAMION CHE… RIESCE A FAR FUGGIRE MARLIN E NEMO. PURTROPPO, LEI RESTA INDIETRO E IL PORTELLONE DEL CAMION SI CHIUDE. L'ULTIMA SPERANZA È DI CONVINCERE HANK A NON ANDARE AL PARCO E RESTARE A VIVERE CON TUTTI LORO. IL POLPO ADORA I SUOI NUOVI AMICI, COSÌ… INSIEME DIROTTANO IL CAMION, LO FANNO FINIRE IN MARE E ORA TUTTI I PESCI SONO LIBERI DI NUOTARE FELICI NELLA BARRIERA CORALLINA!

LA PRINCIPESSA E IL RANOCCHIO

Amiche, nonostante tutto!

UN NOIOSO POMERIGGIO… "UFF, NON HO NIENTE DA METTERMI!" SBUFFA CHARLOTTE. "ANDIAMO A FARE UN PO' DI SHOPPING?" CHIEDE A TIANA. MA L'AMICA È TROPPO STANCA PER SEGUIRLA. "SEI SEMPRE OCCUPATA, TRA IL RISTORANTE E NAVEEN. ANDIAMO, SU!" INSISTE CHARLOTTE. TIANA CEDE E CON LEI SI DIRIGE VERSO ALCUNI NEGOZI ELEGANTI.

DOPO AVER PROVATO DOZZINE DI ABITI, CHARLOTTE FINALMENTE DECIDE, POI CHIEDE A TIANA DI SCEGLIERNE UNO PER SÉ. MA LEI PREFERISCE GLI ABITI CHE LE CONFEZIONA LA MAMMA… "ORA DEVO APRIRE IL LOCALE!" ESCLAMA E, IN FRETTA, SI ALLONTANA.

L'INDOMANI, LE DUE AMICHE SI SCUSANO L'UNA CON L'ALTRA PER IL MALUMORE DIMOSTRATO IL GIORNO PRIMA. "CI HO RIFLETTUTO," DICHIARA CHARLOTTE. "ORA SO COSA FARE PER TRASCORRERE DEL TEMPO DI QUALITÀ INSIEME! TI AIUTERÒ A CUCINARE." TIANA, PUR SAPENDO CHE L'AMICA TRA I FORNELLI NON SE LA CAVA MOLTO BENE, DECIDE DI ASSECONDARLA. INIZIALMENTE, TUTTO PROCEDE A MERAVIGLIA. TIANA SPIEGA COME PREPARARE I BIGNÈ E CHARLOTTE SEMBRA IMPEGNARSI. QUASI SICURA DI LASCIARE LA CUCINA IN BUONE MANI, TIANA SI ALLONTANA PER APPARECCHIARE I TAVOLI.

LA COTTURA DEI BIGNÈ È PERÒ UN'ARTE DELICATA E CHARLOTTE
NON PARE ABBIA PROPRIO LA GIUSTA DOSE DI ESPERIENZA.
QUANDO UN FUMO DENSO FUORIESCE DA PADELLE E FORNO…
TIANA È COSTRETTA A TORNARE DI GRAN CORSA!
L'OLIO SCHIZZA OVUNQUE E LE FRITTELLE HANNO UN ASPETTO
TUTT'ALTRO CHE APPETITOSO. CHARLOTTE È IN LACRIME E,
UNA VOLTA TORNATA A CASA, SI CHIEDE SE LA SUA AMICIZIA
CON TIANA SIA FINITA O SE SIA RIMASTA QUALCHE SPERANZA…
TIANA, INTANTO, GUARDANDOSI INTORNO, SI RENDE CONTO
DI QUANTI SFORZI ABBIA FATTO L'AMICA PER AIUTARLA.

PIÙ TARDI, LE DUE RAGAZZE SI DANNO APPUNTAMENTO DAVANTI AL TEATRO DELLA CITTÀ. SUBITO SI ABBRACCIANO. UN'AMICIZIA NON PUÒ FINIRE SOLO PER UN EPISODIO UN PO' SPIACEVOLE! "DOVREMMO FARE QUALCOS'ALTRO, OLTRE A CUCINARE O FARE SHOPPING!" COMMENTA TIANA. "SÌ! MA COSA?" CHIEDE CHARLOTTE. TIANA INDICA IL TEATRO DI FRONTE A LORO, HA GIÀ COMPRATO DUE BIGLIETTI. LO SPETTACOLO È FANTASTICO E LE DUE AMICHE SI RALLEGRANO DI AVER TRASCORSO INSIEME UNA COSÌ PIACEVOLE SERATA. È VERO, NON SONO D'ACCORDO SU TUTTO MA, SENZA DUBBIO, SI VOGLIONO UN MONDO DI BENE!

La storia del film

POCO DOPO L'ERA GLACIALE, IN UN VILLAGGIO SITUATO TRA LE FORESTE DELL'ARTICO, VIVONO TRE FRATELLI. KINAI, IL PIÙ GIOVANE, HA IN DONO DA TANANA, LA SAGGIA SCIAMANA DELLA TRIBÙ, UN MONILE: È IL TOTEM CHE GUIDERÀ LA SUA VITA. SI TRATTA DELL'ORSO... DELL'AMORE. IL RAGAZZO È DELUSO E UN PO' INVIDIA SIA IL FRATELLO MEZZANO CUI È TOCCATO IL LUPO DELLA SAGGEZZA, SIA IL MAGGIORE, SITKA, CHE HA RICEVUTO L'AQUILA DEL COMANDO... PARTITI PER UNA BATTUTA DI PESCA AL SALMONE, I GIOVANI VENGONO ASSALITI DA UN ORSO GRIZZLY! SPAVENTATO, KINAI RISCHIA DI PRECIPITARE IN UN ABISSO, MA...

… SITKA, IN DIFESA DEL GIOVANE KINAI, CON LA SUA LANCIA
TENTA DI SCACCIARE IL FEROCE ANIMALE. QUELLO, PERÒ,
REAGISCE E ATTACCA I FRATELLI RIMASTI IN DISPARTE.
SITKA NON SI DÀ PER VINTO, SI GETTA CONTRO L'ENORME
GRIZZLY E, SACRIFICANDOSI, PRECIPITA CON LUI NEL VUOTO.
L'ORSO SOPRAVVIVE, MA IL GIOVANE CORAGGIOSO NO.
KINAI NON PUÒ CREDERE DI AVER PERSO L'AMATO FRATELLO
E, DESIDEROSO DI VENDETTA, SI METTE SUBITO A CACCIA
DEL SUO ASSASSINO. E QUANDO LO TROVA, LO UCCIDE.

IN QUELL'ISTANTE, COME UN MAGICO MESSAGGIO DELLA NATURA,
APPARE SITKA CON LE SEMBIANZE DI UN'AQUILA. KINAI, ATTONITO,
OSSERVA UNA NUVOLA DI POLVERE LUMINOSA CHE, SCESA DAL
CIELO, LO AVVOLGE E... LO TRASFORMA IN UN ORSO!
KINAI È INCREDULO. MA LA SAGGIA SCIAMANA GLI SPIEGA
LA SITUAZIONE: "SE VUOI RITROVARE IL TUO ASPETTO, DOVRAI
CERCARE LO SPIRITO DI SITKA, SULLE MONTAGNE."
L'ORSO PARTE E, LUNGO LA STRADA, INCONTRA UN ORSETTO
DI NOME KODA. "STO CERCANDO MIA MADRE," DICE IL CUCCIOLO.
"È ANDATA A PESCARE DEL SALMONE, MA NON È PIÙ TORNATA."

KINAI E KODA, COL TEMPO, SI AFFEZIONANO L'UNO ALL'ALTRO.
PRESTO, PERÒ, KINAI COMPRENDE CHE L'ORSO DA LUI UCCISO
PER VENDETTA ERA LA MADRE DI KODA. "TUA MADRE NON
TORNERÀ…" CONFESSA AMARAMENTE.
IL CUCCIOLO È CONFUSO E TRISTE MA… IN AGGUATO C'È
UNA NUOVA DISAVVENTURA. PER IRONIA DELLA SORTE, DENAHI,
IL FRATELLO MEZZANO, STA DANDO LA CACCIA A KINAI: CREDE
SIA L'ORSO RESPONSABILE DEI LORO DISPIACERI!
IN UN DRAMMATICO SCONTRO, KINAI SI GETTA DAVANTI A KODA
PER PROTEGGERLO, E LO SALVA.

DI FRONTE A QUESTA PROVA D'AFFETTO, SITKA APPARE IN UN LAMPO DI LUCE E, SOTTO LO SGUARDO STUPITO DI KODA E DENAHI, RESTITUISCE A KINAI IL SUO ASPETTO UMANO.

MA IL RAGAZZO SI RENDE CONTO CHE IL PICCOLO ORSO HA BISOGNO DELLA SUA PROTEZIONE E CHIEDE DI RIMANERE CON LUI. COSÌ SITKA ESAUDISCE IL SUO DESIDERIO.

KINAI E KODA SONO I BENVENUTI NELLA TRIBÙ DEGLI UMANI.

"SCEGLIENDO DI RESTARE ORSO PER PROTEGGERE KODA, TI SEI GUADAGNATO UN PRIVILEGIO," DICE TATANA.

E COSÌ GLI PERMETTE DI LASCIARE LA SUA IMPRONTA TRA QUELLE DEGLI ADULTI.

Disney PRINCESS

Rapunzel

I poteri di una principessa

IN QUESTA MATTINA DI PRIMAVERA, RAPUNZEL È RAGGIANTE DI FELICITÀ! "NON POSSO CREDERE DI ESSERE IO LA PRINCIPESSA PERDUTA!" ESCLAMA. "A DIRE IL VERO, NON SO NEMMENO COME DEVO COMPORTARMI…"

"SARAI UN'OTTIMA PRINCIPESSA," LA RASSICURA FLYNN. "HAI BUON CUORE E UN GRAN CORAGGIO…"

LEI NON SEMBRA CONVINTA: "QUANDO AVEVO I CAPELLI MAGICI, SÌ! MA ORA… NON POSSO PIÙ AIUTARE NESSUNO!"

POI DIETRO DI LORO SI SENTE
UN URLO: "NESSUNO SI MUOVA!"
DUE UOMINI ARMATI DI BALESTRA, SBUCANO DA UNA SIEPE
E LI MINACCIANO: "CONSEGNATECI IL VOSTRO CAVALLO!"
COSÌ, FLYNN SALTA SU UN ALBERO POCO DISTANTE E SCALCIA
VERSO IL BASSO. "RAPUNZEL! FUGGI SENZA VOLTARTI!" GRIDA
POI. MA LA RAGAZZA SI SCAGLIA ADDOSSO AGLI ASSALITORI
E LI BUTTA PER TERRA.
POI FLYNN, DALL'ALBERO, PLANA SUL DORSO DI MAXIMUS
E FA CADERE L'ALTRO BRIGANTE NELLE ACQUE DEL FIUME.

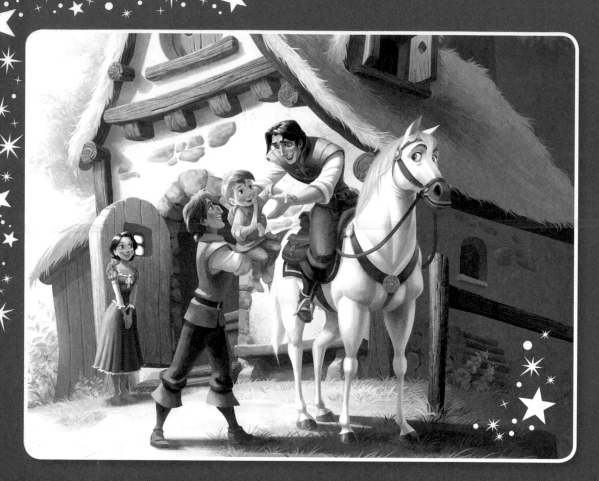

LA LOTTA GIUNGE AL TERMINE E RAPUNZEL RIMPROVERA I DUE
ASSALITORI SOPRAFFATTI, "MALEDUCATI! COSA VI È PRESO?"
UNO DEI DUE SEMBRA VERGOGNARSI. "È COLPA MIA," RISPONDE.
"HO BISOGNO DEL CAVALLO PER PORTARE MIO FIGLIO DAL DOTTORE."
RAPUNZEL SENZA INCERTEZZE SI PRECIPITA AL CAPEZZALE DEL
BAMBINO SOFFERENTE, LO FA SALIRE IN SELLA A MAXIMUS E
SORRIDE: SA CHE QUALCUNO SI PRENDERÀ CURA DI LUI.
AL GALOPPO, FLYNN PORTA IL BAMBINO DAL DOTTORE PER FARSI
DARE LE MEDICINE, POI TORNA A RIPRENDERE RAPUNZEL.
"IN CHE MODO POSSIAMO FARCI PERDONARE?" CHIEDE IL PADRE
DEL PICCOLO FERITO. LA PRINCIPESSA LO ABBRACCIA.

RAPUNZEL ADESSO SA DI NON AVER
BISOGNO DI CAPELLI MAGICI PER DIMOSTRARE
IL SUO VALORE, E QUESTO LE BASTA.

Trilli

La nave pirata

È NOTTE FONDA. ZARINA, UNA FATA CUSTODE, IN GRAN SEGRETO, HA SOTTRATTO UN PO' DI POLVERE MAGICA B!U.
QUESTA È LA BASE CON CUI SI CREA LA POLVERE MAGICA DI OGNI COLORE, ADATTABILE AL TALENTO DI CIASCUNA FATA.
MA TRILLI LA SCOPRE E COSÌ ZARINA VIENE CACCIATA DALLA RADURA INCANTATA.

IL TEMPO PASSA E ARRIVA IL GIORNO DEL FESTIVAL DELLE QUATTRO
STAGIONI. TUTTI I MINISTRI E LE FATE DELLA RADURA INCANTATA
SONO PRESENTI A QUESTO IMPORTANTE EVENTO!
APPENA LA PARATA HA INIZIO... I PAPAVERI SI APRONO E LIBERANO
UN POTENTE VAPORE: LA FOLLA CADE IN UN SONNO PROFONDO.
È OPERA DI ZARINA!
TRILLI, ROSETTA, VIDIA E LE ALTRE, ACCORGENDOSI IN TEMPO
DI QUANTO STA PER ACCADERE, RIESCONO A METTERSI IN SALVO.
INTANTO ZARINA HA RUBATO LA POLVERE BLU ED È VOLATA VIA!

LE FATINE BEN PRESTO FANNO UNA BRUTTA
SCOPERTA: ZARINA È DIVENTATA UNA… PIRATA!
E, COME SE NON BASTASSE, È CAPITANA DI
UN GALEONE PIENO DI FURFANTI…

QUANDO ZARINA SI ACCORGE DELLA PRESENZA DELLE ALTRE FATINE
DIVENTA FURIOSA. "GIÙ LE MANI DAL MIO BOTTINO!" STRILLA.
E PER VENDICARSI DI ESSERE STATA CACCIATA DALLA RADURA, GETTA
LORO ADDOSSO UNA MANCIATA DI POLVERE DI… TUTTI I COLORI!
I TALENTI DELLE FATE SI MESCOLANO E CIASCUNA DEVE GESTIRE
NUOVI POTERI! IL PIANO DI ZARINA È QUELLO DI FAR VOLARE
LA SUA CIURMA: CON UNA MANCIATA DI POLVERE MAGICA OGNI
PIRATA PUÒ SOLLEVARSI DAL SUOLO E COMMETTERE FURTI CON
FACILITÀ… PLANANDO DALL'ALTO!

QUANDO I PIRATI SCOPRONO CHE ANCHE IL LORO GALEONE
PUÒ GALLEGGIARE NEL CIELO... CHIUDONO ZARINA IN
UNA LANTERNA. MA TRILLI E LE SUE AMICHE SI PRECIPITANO
A SALVARE LA LORO EX COMPAGNA. I PIRATI NON LA FARANNO
FRANCA, IL GRUPPO DELLE FATE LI SCONFIGGERÀ DOPO
UNA DURA BATTAGLIA!
RECUPERATA LA POLVERE MAGICA, ANCHE GRAZIE ALL'AIUTO
DI ZARINA, LE FATE RITORNANO ALLA RADURA INCANTATA.
GLI ABITANTI SI SONO SVEGLIATI E REGINA CLARION, DECIDE
DI PERDONARE QUELLA VIVACISSIMA FATA... PIRATA!

Disney

Aladdin

La fuga di Abu

JASMINE, GRAZIE AD ALADDIN, HA CONOSCIUTO UN SIMPATICO SCIMMIOTTO: ABU. LA PRINCIPESSA ADORA LA SUA COMPAGNIA, INSIEME GIOCANO E SI DIVERTONO MOLTO. DIVIDERE CON ABU UNA GUSTOSA MERENDA È SEMPRE UN PIACERE, LUI È UN GRAN BUONGUSTAIO. QUELLA SERA, PERÒ, ABU NON SI FA VIVO. "E PENSARE CHE NON MANCA MAI A UNA BUONA CENA COME QUESTA!" OSSERVA JASMINE, UN PO' IN PENA. COSÌ, SI ALZA DA TAVOLA E CORRE A CERCARE IL SUO PICCOLO AMICO TRA LE SALE DI PALAZZO. MA… SEMBRA SPARITO! SOLO LA CUOCA SEMBRA AVERLO VISTO…

"È PASSATO PROPRIO ALL'ORA DI PRANZO," DICE LA DONNA.
"HA PRESO DEL PANE, DELLE MELE E ANCHE QUALCHE BANANA.
POI SE L'È FILATA!" JASMINE CAPISCE SUBITO CHE C'È QUALCOSA
DI STRANO. ABU NON MANGIA DI CERTO TUTTA QUELLA ROBA IN
UN COLPO SOLO! CHE SI PREPARI A UNA FUGA PIUTTOSTO LUNGA?
AVRÀ COMBINATO QUALCOSA?
COSÌ, PER AVERE DELLE RISPOSTE, DECIDE DI FARE UN GIRO
PER AGRABAH. A BORDO DEL TAPPETO VOLANTE, COMINCIA
AD AGUZZARE LA VISTA. POCO DOPO, IN UNA STRADA SOLITARIA,
SCORGE, IN UN ANGOLO, UN TORSOLO DI MELA…

QUALCHE MINUTO PIÙ TARDI, INDIVIDUA QUALCOSA CHE LA FA
PREOCCUPARE SERIAMENTE: IL CAPPELLINO DEL SUO PICCOLO
AMICO È LÀ, PER TERRA, ABBANDONATO! "ABU NON SE NE SEPARA
MAI!" ESCLAMA LA PRINCIPESSA.
VOLGENDO LO SGUARDO, A BREVE DISTANZA NOTA
UN IMPONENTE EDIFICIO. CHE ABU SI SIA ARRAMPICATO LASSÙ?
PER GIUNTA, STA DIVENTANDO BUIO, LA VISIBILITÀ VIENE
A MANCARE… "ABU, DOVE SEI?" GRIDA JASMINE.
MA POI, SU UN DAVANZALE, VEDE UNA BUCCIA DI BANANA:
È LA PROVA CERTA CHE LO SCIMMIOTTO SIA STATO LÌ!

DALL'ALTO, JASMINE NOTA CHE AL CENTRO DI QUEL PALAZZO C'È UN AMPIO CORTILE. SUBITO FA CENNO AL TAPPETO VOLANTE DI FARLA PLANARE LAGGIÙ.
LA PRINCIPESSA TROVA IL SUO AMICO CON DUE BIMBI. IL MISTERO È SVELATO: ABU HA PORTATO DEL CIBO A DUE ORFANELLI… LA PRINCIPESSA OFFRE LORO DEI DOLCETTI E LI INVITA A PALAZZO. "STASERA GIOCHEREMO INSIEME!" ESCLAMA FELICE.

DISNEY PRINCESS

Cenerentola

Passeggiata notturna

QUEL POMERIGGIO, GAS ENTRA IN SALOTTO TUTTO TRAFELATO.
"CENERINA, C'È UNA NUOVA TOPINA TRA NOI! SI CHIAMA
GRETA! PUÒ RESTARE?" CHIEDE SUBITO.
"MA CERTO!" RISPONDE CENERENTOLA. LA PRINCIPESSA ADORA
DA SEMPRE I SUOI PICCOLI AMICI.
PER FAR SENTIRE A CASA LA LORO NUOVA AMICA, GAS E GIAC
LE COSTRUISCONO UN LETTINO, CENERENTOLA, INVECE, LE CUCE
DEI VESTITINI NUOVI. "BENVENUTA TRA NOI," DICE LA PRINCIPESSA
STRINGENDO LA ZAMPINA DI GRETA.

DOPO UNA DELIZIOSA CENA, GRETA RAGGIUNGE IL SUO BEL
LETTINO E SUBITO SI ADDORMENTA. MA NELLA NOTTE…
UNA STRANA OMBRA SI AGGIRA NEI GIARDINI DEL PALAZZO.
"CHI VA LÀ?" GRIDA UNA DELLE GUARDIE, AVVICINANDOSI.
"UNO DEI TOPINI DI SUA MAESTÀ!" RISPONDE GRETA,
STROFINANDOSI GLI OCCHI.
LA GUARDIA RIACCOMPAGNA LA PICCINA NELLA SUA STANZETTA.
IL GIORNO SEGUENTE, GRETA RACCONTA LA SUA AVVENTURA:
"DORMIVO TRANQUILLA, QUANDO, A UN TRATTO… MI SONO
SVEGLIATA IN GIARDINO! FORSE SONO SONNAMBULA?"
CHIEDE ALLORA PREOCCUPATA.

LA NOTTE SUCCESSIVA, GRETA SI SVEGLIA NEI PRESSI DELLE PORTE
DEL PALAZZO... QUELLA DOPO SI RITROVA IN UNA PIAZZA...
COSA LE SUCCEDE? CENERENTOLA E I SUOI AMICI PROVANO
INVANO AD AIUTARLA. MA GRETA SI RISVEGLIA DI CONTINUO...
IN UN POSTO OGNI VOLTA PIÙ LONTANO.
UNA NOTTE, GRETA SPALANCA GLI OCCHI IN UN QUARTIERE
SCONOSCIUTO. SI BLOCCA DAVANTI ALLA VETRINA DI
UN NEGOZIO DI FORMAGGI: CHE PROFUMINO IRRESISTIBILE!
"HO RISOLTO IL MISTERO!", ESCLAMA "SENTO IL RICHIAMO
DI UNA CERTA PRELIBATEZZA..."

COSÌ VIENE ORGANIZZATA UNA GITA AL VILLAGGIO!
IL CASARO È SORPRESO DI VEDER ARRIVARE NELLA SUA BOTTEGA
LA PRINCIPESSA INSIEME AI SUOI PICCOLI AMICI!
GRETA INDIVIDUA SUBITO IL FORMAGGIO DA CUI È ATTIRATA.
DOPO AVERNE ASSAGGIATO UN PEZZETTO, NON HA PIÙ DUBBI:
"È LUI! È SQUISITO!" ESCLAMA.
CENERENTOLA, PER FARLA FELICE, NE COMPRA UN'INTERA FORMA!
E OGNI SERA, PRIMA DI DORMIRE, GRETA POTRÀ GUSTARSI
QUALCHE BOCCONE E ADDORMENTARSI… SAPORITAMENTE,
TENENDONE UN PO' SUL COMODINO!

COCO

Le avventure di Dante e Pepita

LA FAMIGLIA DI MIGUEL SI STA PREPARANDO ALLA FESTA DEI MORTI, IL GIORNO IN CUI SI CELEBRANO GLI ANTENATI! I RITRATTI DEI LORO CARI SPLENDERANNO A DOVERE, OVUNQUE CI SARANNO FIORI E PARECCHIE LECCORNIE.

MIGUEL CORRE IN CUCINA DA NONNA ABUELITA, VORREBBE AIUTARLA. "STO PROVANDO A FARE DEL MIO MEGLIO!" SI LAMENTA LA NONNA DAVANTI AI FORNELLI. "MA PER LA VERITÀ, NON SO QUALE PIETANZA AMAVA PAPÀ HÉCTOR QUANDO ERA IN VITA."

MIGUEL VORREBBE TROVARE TANTO LE RISPOSTE… E, D'UN TRATTO, HA UN'IDEA.

"CI VEDIAMO DOPO!" DICE, DOPODICHÉ RAGGIUNGE DANTE E PEPITA, IL CANE E IL GATTINO, CHE POSSONO VIAGGIARE TRA LA TERRA DEI VIVI E LA TERRA DEI MORTI.

"AMICI! HO BISOGNO CHE PORTIATE UN MESSAGGIO A PAPÀ HÉCTOR DA PARTE MIA!" DICE MIGUEL. I DUE ANNUISCONO E COSÌ LUI CONSEGNA LORO UN BIGLIETTO.

IMMEDIATAMENTE, I DUE ANIMALI SI DIRIGONO VERSO IL PONTE
CHE COLLEGA I DUE MONDI. NON APPENA RAGGIUNGONO LA
TERRA DEI MORTI, PEPITA SI TRASFORMA IN UN COLORATISSIMO
GIAGUARO CAPACE DI VOLARE, MENTRE A DANTE, CON IL PELO
ORNATO DA DECORI E TINTE VIVACI, SPUNTANO LE ALI. I DUE SI
RECANO DAI DEFUNTI RIVERA E CONSEGNANO IL MESSAGGIO.
"MIGUEL VUOLE SAPERE QUAL È IL MIO PIATTO PREFERITO!"
LEGGE HÉCTOR, SORRIDENTE. POI SCRIVE SUBITO LA RISPOSTA
E RIAFFIDA IL BIGLIETTO ALLE CURE DI DANTE E PEPITA.

RIAVUTO IL BIGLIETTO, MIGUEL SI PRECIPITA DA ABUELITA.
"HO LETTO SUL DIARIO DI MAMMA COCO CHE PAPÁ HÉCTOR AMAVA
LE CROCCHETTE DI RISO!" CERTO, NON PUÒ RIVELARE COME ABBIA
DAVVERO AVUTO QUESTA INFORMAZIONE...
ABUELITA SI METTE ALL'OPERA E, LA SERA, PER LA CELEBRAZIONE,
HA PRONTO UN GRAN PIATTO DELLA DESIDERATA PIETANZA.
PRESTO, GLI ANTENATI ATTRAVERSERANNO QUEL PONTE CHE
GLI PERMETTERÀ D'INCONTRARSI CON I LORO CARI.
MIGUEL, INTANTO, PER FESTEGGIARE, PORTA A DANTE E PEPITA
UN BUON CARTOCCIO DI GUSTOSI INVOLTINI DI CARNE!

La Bella Addormentata nel Bosco

La corona di diamanti

AURORA QUEST'OGGI SI SVEGLIA DI OTTIMO UMORE!
È UNA GIORNATA SPECIALE PER LEI...
"BUON COMPLEANNO!" LE AUGURA SUA MADRE, LA REGINA.
SUL CAPO DELLA DONNA AURORA NOTA UNA MAGNIFICA CORONA
ORNATA DA UN DIAMANTE ROSA A FORMA DI CUORE. LA RAGAZZA
NE È IMMEDIATAMENTE RAPITA.
LA MADRE, INTANTO, CON ARIA MISTERIOSA, L'ACCOMPAGNA
NELLA GALLERIA DEI RITRATTI. LÀ, AURORA SI ACCORGE CHE OGNI
PRINCIPESSA INDOSSA LA STESSA CORONA.
"È UNA TRADIZIONE DEL NOSTRO REGNO," SPIEGA LA REGINA.

"QUANDO UNA PRINCIPESSA DELLA NOSTRA STIRPE COMPIE
DICIASSETTE ANNI, DEVE INDOSSARE QUESTA CORONA.
"NON PRIMA PERÒ… DI AVER RISOLTO TRE INDOVINELLI,"
AGGIUNGE LA MAMMA CON UN SORRISO.
A QUELLE PAROLE, SUBITO COMPAIONO LE TRE FATE MADRINE.
"ECCO IL PRIMO!" DICE FLORA CON ARIA BIRICHINA.
"LE NARICI FA CONTENTE, MA VOI DITA STATE ATTENTE!
È UN PRODIGIO DI NATURA, PER LO SGUARDO È GIOIA PURA.
SULLA CIMA È ASSAI SETOSA, L'HAI CAPITO? È UNA…"

AURORA RIFLETTE, E MENTRE SI GUARDA INTORNO, NEI RIGOGLIOSI GIARDINI DEL CASTELLO, ALL'IMPROVVISO ESCLAMA: "MA CERTO! È UNA ROSA!"

FAUNA SI RALLEGRA, ORA È IL SUO TURNO. "ATTENZIONE MIA CARA, ECCOMI A TE CON IL SECONDO INDOVINELLO!" E DOPO UN COLPETTO DI TOSSE, ENUNCIA: "SI POGGIANO IN FRONTE OPPUR SULLE GOTE, IL CUORE RIMBALZA E SPESSO SI SCUOTE. I SENTIMENTI SI FANNO VIVACI... SE TU REGALI UN PAIO DI..." AURORA TENTENNA... "UN PAIO DI BACI!" DICE POI SICURA. LE TRE FATINE BATTONO LE MANI ALL'UNISONO.

"TOCCA A ME!" STRILLA SERENA. "SI DICE SIA CIECO, ETERNO
O SINCERO. QUANDO LO INCONTRI, HAI UN SOLO PENSIERO:
RESTARE VICINO A CHI TANTO TI PREME! POI SENTI NEL PETTO
QUALCOSA CHE FREME. SBOCCIA SEMPRE COME UN BEL FIORE,
QUELLO DI CERTO SI CHIAMA…"

AURORA SCORGE IL PRINCIPE FILIPPO E GLI CORRE INCONTRO.

"SI CHIAMA AMORE!" ESCLAMA. E ANCHE IL TERZO INDOVINELLO
È PRESTO RISOLTO!

LA REGINA PONE SUL CAPO DELLA PRINCIPESSA LA CORONA DI
FAMIGLIA. "BUON COMPLEANNO, CARA," MORMORA COMMOSSA.

Biancaneve
e i Sette Nani

Un'avventura emozionante

BIANCANEVE E IL PRINCIPE AZZURRO DANNO IL BENVENUTO AI SETTE NANI NEL LORO CASTELLO. LA PRINCIPESSA HA ORGANIZZATO UN PICNIC NEL PARCO.
"DOV'È CUCCIOLO?" CHIEDE BIANCANEVE. ECCOLO DAVANTI A UNA SIEPE, INTENTO A OSSERVARE UN BRUCO. IL TIMIDO NANO NON PARLA, PERÒ È IN GRADO DI COMUNICARE CON TUTTI, ESSERI UMANI E ANIMALI, E RIESCE PERSINO AD AMMAESTRARE IL BRUCO! LE SUE ZAMPETTE AGILI, IL SUO CORPO SOFFICE E LE SUE ANTENNE LO INCURIOSISCONO…

IL POMERIGGIO SI RIVELA UN SUCCESSO. DOPO IL PICNIC,
BIANCANEVE E IL PRINCIPE DANZANO SULLE NOTE DELLE CANZONI
SUONATE DAI SETTE NANI. CUCCIOLO, INVECE, RESTA IN DISPARTE,
IN COMPAGNIA DEL SUO NUOVO AMICO.
AL MOMENTO DI SALUTARSI, BIANCANEVE ABBRACCIA TUTTI
E SETTE I NANI E, AL TURNO DEL PIÙ PICCOLO, NOTA IL BRUCO
SULLA SUA SPALLA…
QUALCHE SETTIMANA DOPO, BIANCANEVE E IL PRINCIPE SI RECANO
DAI NANI. TUTTI SONO CONTENTI MA… CUCCIOLO È SEMPRE PIÙ
IMMERSO NEI SUOI PENSIERI.

IL NANETTO PRENDE PER MANO BIANCANEVE, LA PORTA IN
GIARDINO E LE MOSTRA UN BOZZOLO SU UN RAMO. "IL BRUCO
È CHIUSO LÌ DENTRO DA GIORNI," BALBETTA MAMMOLO.
BIANCANEVE SORRIDE A CUCCIOLO. "IL TUO AMICO NON SE N'È
ANDATO," SPIEGA, "SI STA TRASFORMANDO…
IN… QUALCOSA DI MERAVIGLIOSO!"
E PROPRIO IN QUEL MOMENTO, IL BOZZOLO
SI APRE. DUE VELI COLORATI SI SCHIUDONO,
AUMENTANO DI GRANDEZZA E…
ECCO NASCERE UNA BELLISSIMA FARFALLA
GIALLA, AZZURRA E ROSSA!

IL NANETTO PORGE LA MANO ALLA CREATURA, RALLEGRATO DA
QUESTO INATTESO RICONGIUNGIMENTO. MA LA FARFALLA VOLA VIA!
CUCCIOLO È TRISTE: È STATO DIMENTICATO COSÌ IN FRETTA?
BIANCANEVE LO CONSOLA: "ANCH'IO SONO ANDATA VIA,
MA TORNO SPESSO A TROVARTI. AMICIZIA
SIGNIFICA ANCHE LASCIARE LIBERI
COLORO A CUI VOGLIAMO BENE!"
IN QUEL MOMENTO, LA FARFALLA INIZIA
A SVOLAZZARE INTORNO A CUCCIOLO
E GLI SOLLETICA LA PUNTA DEL NASO.
ALLORA… NON L'HA DIMENTICATO!
EH, NO… I VERI AMICI NON SI DIMENTICANO
MAI, ANCHE SE A VOLTE DEVONO SEPARARSI!

ALICE
nel
PAESE DELLE
MERAVIGLIE

La storia del film

È UN CALDO POMERIGGIO D'ESTATE. ALICE ASCOLTA ANNOIATA LA LEZIONE DI STORIA CHE SUA SORELLA LE STA RIPETENDO. D'UN TRATTO, UN CONIGLIO BIANCO VESTITO DI TUTTO PUNTO, LE PASSA ACCANTO DI CORSA. "È TARDI!" GRIDA GUARDANDO IL SUO OROLOGIO.

"UN CONIGLIO IN GIACCA E PANCIOTTO?" MORMORA ALICE. INCURIOSITA, DECIDE DI SEGUIRLO. "SIGNOR CONIGLIO, MI ASPETTI!" MA QUELLO IGNORA IL RICHIAMO E SI GETTA NELL'INCAVO DI UN ALBERO.

SEMBRA UNA TANA! ALICE LA RAGGIUNGE MA… QUELLA NON È UNA TANA, È L'INGRESSO DI UNA GALLERIA CHE PRECIPITA GIÙ, GIÙ, COME UN POZZO SENZA FONDO!

ATTERRATA CON DELICATEZZA, ALICE SI RIALZA E SI RITROVA
IN UNA STANZA SPAZIOSA. IL CONIGLIO, DAVANTI A LEI,
OLTREPASSA UNA PORTA MINUSCOLA E LA RICHIUDE.
"SEI TROPPO GRANDE PER PASSARE!" LE DICE LA SERRATURA
PARLANTE. "BEVI LA POZIONE CHE C'È SUL TAVOLO!"
ALICE ACCETTA IL SUGGERIMENTO E BEVE. MA… RIMPICCIOLISCE
QUANTO UN BOTTONE! DAL NIENTE, PERÒ, SPUNTA UN BISCOTTO,
LEI LO ASSAGGIA E… DIVENTA GIGANTE!
SPAVENTATA, ALICE SCOPPIA A PIANGERE E UN'INCREDIBILE MAREA
DI LACRIME ALLAGA LA STANZA.
DI LÌ PASSA POI UN GROSSO UCCELLO SU UNA BARCA…

CON UN ALTRO SORSO DI POZIONE, LE DIMENSIONI DI ALICE
SI RIDUCONO NUOVAMENTE. LA MAREA DI LACRIME SI ASCIUGA
E LEI PUÒ ENTRARE NELLA CASA DEL BIANCONIGLIO…
ECCO SVELATO IL NOME DI QUEL PASSANTE FRETTOLOSO.
CONTENTA, SI GUARDA INTORNO: "CHE GRAZIOSA!" DICE.
E VISTO CHE QUA E LÀ SCORGE DEI DOLCETTI, SI LASCIA TENTARE.
MA ANCORA UNA VOLTA, ALICE DIVENTA UNA GIGANTESSA!
IL CONIGLIO, FUORI DALLA SUA CASA, OSSERVA SCONVOLTO.
CON LUI C'È ANCHE CAPITAN LIBECCIO, IL NAVIGANTE INCONTRATO
POCO PRIMA. CHE COSE PAZZERELLE SUCCEDONO NEL PAESE
DELLE MERAVIGLIE!

DOPO AVER ASSAGGIATO UNA CAROTA DELL'ORTO DEL BIANCONIGLIO, ALICE TORNA ALLE SUE DIMENSIONI DI SEMPRE. LEI VORREBBE FERMARSI A RINGRAZIARE PER L'OSPITALITÀ, MA IL FUGGIASCO RIPRENDE LA SUA CORSA. ALICE LO INSEGUE MA… SI PERDE IN UN BOSCO.

"PRENDI QUESTO PASSAGGIO SEGRETO," LE SUGGERISCE LO STREGATTO, UN GATTO A STRISCE APPOLLAIATO SUL RAMO DI UN ALBERO.

ALICE ENTRA DOVE LE INDICA IL MAGICO FELINO E SI RITROVA AI PIEDI DI UN CASTELLO. LAGGIÙ ABITA LA SEVERA REGINA DI CUORI. CI SONO ROSE ROSSE OVUNQUE E SOLDATI VESTITI COME CARTE DA GIOCO…

IL CONIGLIO, TREMANTE, È AL COSPETTO
DELLA REGINA... FORSE È AL SUO
SERVIZIO! MA APPENA L'ARCIGNA
SOVRANA VEDE ALICE, STRILLA:
"TAGLIATE LA TESTA ALL'INTRUSA!"
CORRENDO VIA, LA RAGAZZINA INCIAMPA...
"ALICE, SVEGLIA!" LA CHIAMA SUA SORELLA.
"DORMIVO? CHE STRANO SOGNO!" MORMORA ALICE STIRACCHIANDOSI.
MA DA QUALCHE PARTE LE PARE DI UDIRE IL TICCHETTIO DI
UN OROLOGIO... CHE SIA QUELLO DEL BIANCONIGLIO?

DISNEP · PIXAR

GLI INCREDIBILI

UNA "NORMALE" FAMIGLIA DI SUPEREROI

La storia del film

ANCHE SE A METROVILLE GLI INCREDIBILI HANNO SALVATO MOLTE SITUAZIONI PERICOLOSE, DURANTE LA LORO ULTIMA MISSIONE HANNO PROVOCATO ENORMI DANNI UN PO' OVUNQUE. COSÌ… VENGONO INFORMATI CHE IL LORO PROGRAMMA DI PROTEZIONE È SOSPESO.

EVELYN DEAVOR E SUO FRATELLO WINSTON, PROPRIETARI DI UN'AZIENDA DI TELECOMUNICAZIONI, ORGANIZZANO UN INCONTRO CON MR. INCREDIBILE, ELASTIGIRL E L'AMICO SIBERIUS.

"IL MONDO HA ANCORA BISOGNO DI VOI," DICE WINSTON.

"VI ASSUMERÒ IO! E PER DIMOSTRARE A TUTTI CHE MONTERÒ UNA TELECAMERA SULLE TUTA DI CIASCUNO DI VOI."

PER LA SUA PRIMA MISSIONE, ELASTIGIRL FERMA UN TRENO FUORI CONTROLLO. MA NELLA CABINA DI GUIDA, QUALCUNO LE HA LASCIATO UNO STRANO MESSAGGIO. LA FIRMA È DELL'IPNOTIZZATORE. SI TRATTA DI UN CRIMINALE CHE, DA UN PO' DI TEMPO, UTILIZZA GLI SCHERMI TELEVISIVI PER IPNOTIZZARE LE SUE VITTIME.

GRAZIE AD ALCUNE INFORMAZIONI FORNITE DA EVELYN, ELASTIGIRL RIESCE A FAR ARRESTARE UN UOMO CHE SEMBRA PROPRIO ESSERE QUESTO FURFANTE. INTANTO, BOB CERCA DI CAVARSELA NEI PANNI DI CASALINGO E BABYSITTER…

DURANTE L'ULTIMO SUO ATTACCO, L'IPNOTIZZATORE HA
INAVVERTITAMENTE PERDUTO UN PAIO DEI SUOI SPECIALISSIMI
OCCHIALI CATTURA-SGUARDI. NEL GUARDARLI PIÙ DA VICINO,
ELASTIGIRL NOTA QUALCOSA DI SOSPETTO. PARLANDONE
CON EVELYN, D'IMPROVVISO… SI ADDORMENTA.
E APPENA SI SVEGLIA, SI RITROVA TUTTA LEGATA. L'INTRIGO
È CHIARITO: "SEI TU L'IPNOTIZZATORE!" GRIDA HELEN A EVELYN.
"SÌ! IO DETESTO I SUPEREROI!" CONFESSA L'ALTRA. POI, CON UNA
SCUSA, CHIAMA BOB/MR. INCREDIBILE E LO INVITA SUL SUO YACHT.
LUI ACCORRE, MA PRIMA AFFIDA I SUOI FIGLI A SIBERIUS.

APPENA BOB SI ALLONTANA, SIBERIUS E I RAGAZZI SONO
ATTACCATI DA ALCUNI INDIVIDUI CON OCCHIALI IPNOTIZZANTI.
I RAGAZZI SI METTONO IN SALVO E ANCHE SIBERIUS, DAPPRIMA
CATTURATO, RIESCE A SVIGNARSELA. INTANTO BOB,
ARRIVATO SULLO YACHT, REALIZZA CHE QUALCOSA NON VA
E, DA LÌ A UN ATTIMO, SUA MOGLIE HELEN, CONTROLLATA
DALLA TRADITRICE EVELYN, LO IMMOBILIZZA.
LA SITUAZIONE PARE DISPERATA: MR INCREDIBILE SOCCOMBE
ED È COSTRETTO A INDOSSARE GLI OCCHIALI IPNOTIZZANTI
E DIVENTARE UN CRIMINALE! PER FORTUNA I TRE FIGLI DI HELEN
E BOB ACCORRONO IN AIUTO DEI GENITORI.

GLI INDIVIDUI CON GLI OCCHIALI IPNOTIZZATORI, COMPLICI
DI EVELYN, ACCORRONO E SALGONO ANCH'ESSI A BORDO DELLO
YACHT. DOPO UNA LOTTA, I SUPER FIGLI DI HELEN E BOB RIESCONO
A RIPORTARE I LORO GENITORI ALLA RAGIONE IN MODO
CHE POSSANO RIPRENDERE IL CONTROLLO.
COSÌ, BOB ED HELEN FANNO ARRESTARE EVELYN E, FINALMENTE,
IL LORO LAVORO DA 'INCREDIBILI' VIENE NUOVAMENTE LEGALIZZATO.
TUTTA LA FAMIGLIA PUÒ ASSICURARE ANCORA L'ORDINE IN CITTÀ!

Sommario